LETTRE À JUSTINE

DANIELLE POULIOT

LETTRE À JUSTINE

Roman

ART GLOBAL

**Catalogage avant publication de Bibliothèque et
Archives nationales du Québec et Bibliothèque et Archives Canada**

Pouliot, Danielle

Lettre à Justine : roman

ISBN : 978-2-923196-17-6

I. Titre.

PS8631.O826L47 2013   C843'.6   C2013-941857-1
PS9631.O826L47 2013

Éditeur :
MIREILLE KERMOYAN

Coordination :
CHRISTINE REBOURS

Révision :
BERNARD PARÉ

Infographie :
ALEJANDRO NATAN

Photo de la couverture :
DANIELLE POULIOT

© Art Global inc., 2014
507, Place d'Armes, bureau 1211
Montréal, Québec H2Y 2W8 Canada
www.artglobal.ca

Président :
ROBERT CÔTÉ

Dépôt légal – 1er trimestre 2014

ISBN : 978-2-923196-17-6

Imprimé et relié au Canada

Je n'ai voulu que ta chevelure pour moi,
Et de toutes les offrandes de la patrie
je n'ai choisi que celle de ton cœur sauvage.
Pablo Neruda

À Bruno
À Nicole
Ils savent pourquoi…

Un rendez-vous très important

Il y avait près d'un an qu'elle avait disparu lorsqu'elle a refait surface dans ma vie. Le son de sa voix m'a surpris alors que je nettoyais le plancher sur lequel je venais d'échapper une douzaine d'œufs. Incrédule, je me suis approché de la radio. Les yeux rivés sur la grille du haut-parleur, je recueillais ses paroles. Après tout ce temps, sa présence habitait de nouveau l'appartement. L'animateur a conclu en lui souhaitant bonne chance pour son livre avant de confirmer ce que je savais déjà. Il pleuvait. Justine était de retour.

L'orage avait éclaté la nuit précédente, la dernière du mois d'août. J'ai pensé que ce n'était pas un hasard. Toute cette eau présageait un automne difficile. « Un autre automne difficile », me suis-je dit. De mon lit, j'ai observé un long moment la pluie qui fouettait l'arbre obstruant la fenêtre. Je surveillais les éclairs à travers son feuillage avant de me rendre compte que l'eau dégoulinait sur le plancher et formait des grandes flaques. Inquiet, j'ai fait le tour de l'appartement pour m'assurer que toutes les fenêtres étaient fermées avant de nettoyer le dégât. Me sachant incapable de m'endormir, je me suis installé dans le salon, devant le téléviseur éteint.

C'est là que j'ai entendu le premier craquement. J'ai tout de suite su que la pluie s'accumulait sur le toit. Une immense poche d'eau était en train de se former juste au-dessus de ma tête. La toiture allait céder d'un moment à l'autre. Emporté par le torrent, mon corps disparaîtrait dans l'affaissement de l'édifice. J'allais mourir noyé, écrasé sous le poids des débris, dans le sous-sol d'un triplex ordinaire du centre-sud de Montréal.

J'ai senti ma gorge se dessécher, une raideur musculaire s'installer dans mon bras gauche et mon pouls s'accélérer. Les symptômes d'une crise cardiaque imminente. Je devais composer le 911. Ils m'enverraient une ambulance. J'avais fait comme cela la dernière fois : 911, une ambulance, l'urgence, quatorze heures d'attente, le regard exténué de l'infirmière et un diagnostic d'anxiété passagère rendu sur un ton réprobateur... J'ai plutôt enfilé mon jean et je suis sorti sur le balcon.

J'ai une peur phobique de l'eau. Celle qui coule du robinet. Celle qui tombe du ciel. Celle qui dort dans les lacs. Enfant, je me débattais comme un diable dans l'eau bénite quand ma mère me donnait le bain. Ni la chaleur rassurante de l'eau, ni la douceur de ses mains gantées de savon à la fleur de miel n'arrivaient à calmer mes angoisses. La situation s'est détériorée lorsqu'un ami a voulu m'aider. En week-end chez lui, j'avais été obligé de le suivre à la piscine.

Je me rappelle avec une extrême précision la sensation de sa paume moite dans mon dos. Un tatouage indélébile sur ma peau. J'ai touché le fond de la piscine avant de refaire surface. J'appelais à l'aide, mais les cris de joie des enfants enterraient mes cris de détresse. Il y avait des adultes cordés en rang d'oignons sur un banc. J'espérais que l'un d'eux réagisse. Mon regard a croisé celui d'un père qui m'observait d'un air agacé.

Et puis il y avait Guillaume que je croyais être mon ami. Les yeux exorbités, il m'observait sans sembler me reconnaître. Saisi d'étonnement, il restait là sans rien faire, complètement figé, les pieds soudés au ciment mouillé. Même si je vivais les derniers instants de ma courte existence, je ne pouvais m'empêcher de me répéter que c'était un imbécile et qu'il ne méritait pas que je lui consacre mes ultimes pensées.

Finalement, le maître-nageur s'était rendu compte qu'un drame se jouait dans son plan d'eau et qu'il devait agir vite s'il ne voulait pas se retrouver avec un mort sur la conscience. Le corps ceinturé d'un gilet de sauvetage jaune canari, il s'était élancé vers moi. En moins de deux, il m'avait retourné sur le dos pour me faire une solide prise au cou avant de me traîner comme une épave jusqu'au bord de la piscine. Moi qui avais craint de mourir noyé, je m'apprêtais à trépasser par strangulation.

Il m'avait hissé hors de l'eau pour me faire asseoir dans un coin tranquille, dos à la piscine. Je devinais derrière moi les regards de ceux qui n'avaient rien fait pour me sauver la vie et des curieux attirés par l'odeur du drame avorté. Cherchant à excuser son geste, Guillaume ne cessait de me répéter que l'eau m'arrivait à peine sous les aisselles. J'avais réagi à chacune de ses interventions en l'envoyant se faire foutre.

Lorsque la pluie pénètre chez moi, je panique. Je panique lorsque le jet de la douche mouille mon visage. Le simple fait de voir un lac, une rivière, la mer, m'angoisse. Une violente immersion dans quatre pieds d'eau équivalait pour moi à un saut dans le vide sans parachute, c'est-à-dire à l'assurance de mourir.

Pas facile pour un hydrophobe de vivre sur une île. À force de rester coincé matin et soir dans nos voitures sur les artères de la ville, de faire le pied de grue dans le métro en attendant que la rame entre dans la station, de sillonner les rues arc-boutés sur nos vélos, on en vient à oublier que Montréal est un lopin de terre entouré d'eau. Pour en sortir, il faut emprunter l'un ou l'autre des vingt-deux ponts et tunnels routiers ou ferroviaires qui franchissent le fleuve et les rivières ceinturant l'île. Et même là, on risque de se retrouver sur l'une des quatre-vingt-trois îles entourant la ville et de devoir effectuer une autre traversée avant d'aboutir sur la terre ferme. Bref, peu de gens sont conscients du danger qui nous menace de toutes parts, nous les Montréalais.

Chaque fois que je dois passer sur l'une de ces structures qui enjambent l'eau, je suis persuadé que je vais mourir. Personnage impuissant d'un film au dénouement tragique, je mets en scène mes derniers instants. Un automobiliste imprudent va m'obliger à donner un coup de volant. Le mouvement abrupt me fera perdre le contrôle de ma voiture qui ira buter contre le parapet du pont. Et, telle une carte à jouer qu'on retourne d'un geste confiant, assuré de remporter la partie, ma vieille Honda fera un salto arrière pour basculer au-dessus du fleuve.

Le choc sera brutal. Et du bleu azur du ciel, à travers une longue culbute dans le bleu verdâtre du fleuve, je passerai au bleu nuit des profondeurs du Saint-Laurent. Portée par le courant, mon auto dérivera jusqu'à ce qu'un banc de boue arrête sa course. Elle reposera sur le toit, son ventre rouillé exposé aux particules en suspension. La tête en bas, harnaché à mon siège, j'essaierai de me figurer les gestes à poser pour ouvrir la portière et m'échapper.

Une grosse pierre bloquera l'accès côté conducteur et la pression de l'eau, le côté passager. De toute manière, je serai déjà techniquement mort, car il y aura déjà plus de trois minutes que l'eau aura complètement envahi l'habitacle. J'aurai d'abord eu des spasmes à la gorge avant de perdre connaissance. Mon corps inconscient sera secoué par des convulsions avant de subir un arrêt cardiaque. Qui annoncera mon décès à ma mère?

Ma mère m'a suggéré d'aller voir un thérapeute. J'ai préféré consulter des ouvrages traitant des phobies à la bibliothèque. Un livre proposait des exercices de désensibilisation; faire des bulles, effleurer la surface de l'eau, s'immerger graduellement. Au bout de quelques semaines, la personne peut espérer apprendre à nager après avoir passé quelque temps à flotter sur le dos. Je me suis imaginé à quatorze ans, agrippé au bord de la piscine, faisant des bulles pendant que des bambins plongeaient du tremplin de trois mètres.

J'ai plutôt accepté un porte-bonheur que ma mère m'a offert. Un éléphant avec une trompe énorme dirigée vers le haut, tout droit vers le ciel. Drôle de cadeau pour une personne qui a peur de mourir, ai-je pensé. J'ai failli lui en faire la remarque avant de choisir de me taire. Pour la rassurer, mais surtout pour éviter des discussions inutiles, j'ai attaché, des années plus tard, le pachyderme à mon rétroviseur. Il se balance au bout de sa corde comme un pendu.

Il y avait un moment que je regardais l'orage se déchaîner, à l'abri sous le toit du balcon. On aurait dit un rideau cousu de fils d'argent s'abaissant un soir de première. D'aucuns auraient pu trouver ce tableau poétique. Vouloir le photographier ; le reproduire sur une toile ; composer des vers... De mon point de vue, il s'agissait d'une scène effrayante. Je pensais à tous ceux qui meurent chaque année à cause des effets dévastateurs de l'eau. Et à tous les autres qui succombent, faute d'avoir accès à de l'eau potable. Je me disais que d'une manière ou d'une autre, l'eau tue.

Je me demandais combien d'eau pouvait tomber à l'heure. Quel volume ça pouvait représenter pour le Québec ? Puis, je me suis mis à penser aux autres provinces. Pleuvait-il actuellement au Nouveau-Brunswick ? En Nouvelle-Écosse ? À Terre-Neuve ? En Ontario ? L'image de la Terre m'est venue à l'esprit. La planète bleue, dont 72 pour cent de la surface est recouverte d'eau. Quelles étaient les chances que les 28 pour cent restants soient submergés un jour ? Je me suis forcé à penser à autre chose pour éviter de m'enfoncer trop profondément dans mon délire aqueux.

Deux filles réunies sous un même parapluie sont passées en courant. Je les entendais rire et pousser des petits cris stridents chaque fois qu'elles posaient le pied dans une flaque ou qu'un coup de vent menaçait de leur arracher leur abri. Les voitures roulaient lentement, leurs essuie-glaces poussés au maximum. De temps à autre, un kamikaze passait en vélo, roulant à grande vitesse comme s'il pouvait échapper au mauvais temps. Puis, un calme relatif est revenu. On n'entendait plus que le bruit de la pluie crépitant à travers le feuillage, martelant les surfaces rigides ; le gargouillis de l'eau s'écoulant des gouttières pour s'engouffrer dans les puisards.

J'ai reconnu la sonnerie de mon cellulaire qui me parvenait de loin. Je me suis aussitôt précipité dans l'appartement. *Appel manqué*, affichait l'écran lorsque j'ai finalement mis la main sur l'appareil. *Numéro masqué* était inscrit dans ma liste d'appels reçus. C'était probablement Justine, elle voulait s'assurer que j'allais bien. J'imagine que, malgré la séparation, elle doit avoir une bonne pensée pour moi, surtout les jours de pluie.

J'ai repris ma place devant le téléviseur éteint pour continuer à surveiller d'une oreille attentive les craquements de la charpente. C'était injuste. J'avais aménagé au dernier étage d'un triplex pour ne pas avoir à craindre les inondations. Et voilà qu'en dépit de toutes mes précautions, je me retrouvais maintenant menacé.

Plus que n'importe quel porte-bonheur, c'était la présence de Justine qui parvenait à me sécuriser. Elle prenait toujours le volant lorsque nous devions traverser un pont.

— Nos corps sont faits à 65 pour cent d'eau, la vie est née dans l'eau... Toi-même, tu as neuf mois d'existence aquatique, disait-elle pour me réconcilier avec l'élément liquide.

— L'eau, c'est la mort. L'eau détruit. Pense aux tsunamis, à la mer qui se déchaîne, répliquais-je, le visage caché dans mes mains.

— La vie n'est pas possible sans eau, l'eau guérit, l'eau purifie...

Je ne l'écoutais pas. Toutes ses théories ésotériques sur la symbolique de l'eau me passaient cent pieds par-dessus la tête. C'était son côté granola, zen, hippie. La partie de sa personne qui croyait aux astres, à l'énergie cosmique, aux messages de la vie. « Foutaise, je me disais en moi-même. L'eau tue », me répétais-je.

Un soir, alors que nous traversions le pont Champlain de retour d'un souper chez des amis, Justine avait dit une grosse connerie :

— Un jour, nous nagerons ensemble.

Nager ensemble… Justine ne devait avoir aucune idée de ma peur maladive de l'eau pour risquer une telle affirmation. Si je n'avais pas été amoureux fou d'elle, je me serais fâché, ne serait-ce que pour m'assurer qu'elle ne tenterait pas, à son tour, de régler mon problème en me précipitant dans un plan d'eau.

Je m'étais endormi devant le téléviseur éteint. Quand je me suis réveillé, recroquevillé au creux du fauteuil, mes jambes étaient ankylosées, raides comme un jean séché au soleil. J'entendais le réveille-matin marteler les murs de ma chambre de ses cris stridents. Un jour, tout redeviendra calme, me suis-je dit. Ce silence appréhendé me séduisait autant qu'il m'effrayait. Qu'allais-je faire le jour où le réveil cesserait définitivement de sonner ?

Ce radio-réveil est à Justine. Elle l'a apporté ici un soir parce qu'elle devait se lever tôt le lendemain matin pour un important rendez-vous. Elle ne me faisait pas confiance pour la réveiller à temps. Cette nuit-là, nous avions dormi main dans la main. C'était la première fois que ça nous arrivait. En fait, c'était la première fois que ça m'arrivait, à moi. Je n'avais jamais pensé que deux personnes pouvaient s'enfoncer dans la nuit comme on pénètre dans une forêt inconnue, en se tenant fiévreusement par la main.

Parfois, je l'échappais. Je le sais parce que je sentais Justine chercher mon bras. Elle glissait sa main jusqu'à la mienne et la serrait très fort. Je n'avais rien contre, sauf que ça m'obligeait à dormir sur le dos. J'ai l'habitude de ronfler dans cette position, ce qui avait pour effet d'énerver ma belle. Mais cette nuit-là, on aurait dit que rien n'importait. Ainsi, nous avions traversé l'obscurité ensemble, les doigts entremêlés comme les racines d'un arbre.

Au petit matin, je m'étais blotti contre elle. Son corps était chaud, tel un gâteau tout juste sorti du four. J'ai aussitôt pensé à ma mère. Au pain aux bananes qu'elle me cuisinait le dimanche matin. Au plaisir de sentir le moelleux de la pâte se mêler au fondant du beurre d'arachide dans ma bouche. Mon accolade l'avait agacée. Je l'avais senti au mouvement sec de son bassin. Justine avait regardé l'afficheur du réveil et avait maugréé qu'il était trop tôt.

Elle avait enchaîné en m'accusant de la priver de trente minutes de précieux sommeil, et ce, précisément le jour même où elle en avait tant besoin. J'ai ensuite eu droit à un sermon sur le thème de l'égoïsme… je ne pensais qu'à moi. Elle s'était levée d'un bond, pestant qu'il était maintenant trop tard, qu'elle ne pourrait pas se rendormir, qu'à cause de moi, elle allait probablement faire mauvaise impression à son rendez-vous.

Justine s'était enfermée dans la salle de bain sans même m'avoir regardé. Le bruit de l'eau qui coulait avait enterré ses récriminations. J'étais demeuré au lit, sachant qu'en m'écartant de son chemin, j'évitais le pire.

— Tu ne vas pas travailler? m'avait-elle demandé en passant devant la porte pour aller chercher quelque chose dans son sac à main.

Elle faisait semblant d'ignorer que le terrain était miné et que ma seule chance de rester en vie était de faire le mort. Je n'avais même pas répondu. Je savais que ce n'était pas une question. Un commentaire tout au plus. Ce soir tout ira mieux, je m'étais dit.

À sept heures, lorsque le réveil avait finalement sonné, Justine séchait ses cheveux. Elle ne l'avait pas entendu. J'avais allongé le bras, espérant le faire taire. C'était un appareil à six boutons sur le dessus et deux roulettes sur le côté. J'analysais encore la situation quand il s'était tu de lui-même. J'étais allé à la cuisine faire du café avant de m'installer devant l'ordinateur pour faire semblant de consulter mes sites préférés.

Justine avait refusé l'œuf que je lui avais offert, mais s'était enfilé vite fait ma tasse de café. Avant de partir, elle m'avait embrassé. Avec sa robe neuve, ses cheveux fraîchement lavés, son parfum subtil et dix minutes d'avance sur son horaire, elle paraissait avoir retrouvé un peu de sa bonne humeur. Embusqué au coin de la fenêtre, je l'avais regardée s'éloigner en espérant que son rendez-vous se passe bien. Elle s'était retournée juste au moment où j'allais la perdre de vue. Elle m'avait soufflé un baiser. Elle ne pouvait pas me voir, mais elle savait que j'étais là, parce que j'étais toujours là pour elle.

Justine n'est jamais revenue. Je ne l'ai jamais revue. Elle n'a répondu à aucun de mes appels. Depuis, son réveille-matin sonne tous les jours à sept heures. Aujourd'hui, il a sonné pour la trois cent quatre-vingt-deuxième fois.

J'ai connu Justine au mariage de Maxime, mon meilleur ami. Elle faisait le pied de grue devant la porte de l'auberge où se tenait la réception. En fait, elle regardait au loin en enroulant rêveusement une grosse mèche de cheveux autour de son doigt. Je me suis retourné, curieux de voir ce qui attirait ainsi son attention. La rivière. On l'apercevait à peine. Elle coulait en arrière-plan d'une haie d'arbres et de buissons. Je l'avais déjà repérée. Nous l'avions longée un moment pour arriver à l'auberge. Mon ami Luc était au volant. Lui et sa copine avaient jacassé comme des pies tout au long du trajet pour tâcher de me faire oublier le pont, puis la rivière. En découvrant cette belle brune, je m'étais demandé si je pourrais tomber amoureux d'une fille qui rêvassait en regardant un cours d'eau. C'était avant de voir ses yeux. Des pastilles de chocolat noir que de longs cils recourbés éventaient lentement.

« Cette fille n'a besoin de personne. » Je m'étais fait la remarque en passant à côté d'elle sans oser l'aborder. Mais je l'avais observée toute la soirée. Elle faisait le service dans la salle de banquet, apportant des plats de poulet fumant et desservant avec un même ennui mortel. Je cherchais quelque chose d'original à lui dire. Un commentaire qui aurait pu la faire sourire, la sortir de son abrutissement, ne serait-ce qu'une fraction de seconde. Mais rien de spécial ne m'était venu à l'esprit. Le repas avait pris fin et je n'avais toujours pas trouvé la manière de l'approcher. Après quoi, je l'avais perdue de vue.

Lorsque j'ai compris qu'elle ne reviendrait pas dans la salle, je m'étais mis en tête de partir à sa recherche. J'avais été faire un tour du côté du bar, elle n'y était pas. J'avais jeté un coup d'œil rapide dans les autres salles où se tenaient des réceptions semblables à la nôtre, rien. Découragé, j'avais allongé le cou dans l'entrebâillement de la porte des cuisines. Elle avait définitivement disparu.

— Tu sais, la fille avec les grands yeux noirs...

J'avais essayé de tirer les vers du nez à un type qui plaçait les couverts sur les tables en prévision du petit-déjeuner.

— T'as pas assez de problèmes comme ça ? m'avait-il répondu sèchement.

J'avais conclu de sa réplique disgracieuse qu'il était jaloux. Il devait avoir tenté sa chance et s'était fait rabrouer. Il ne pouvait tolérer l'idée qu'il y avait encore de l'espoir pour quelqu'un d'autre. Moi, en l'occurrence. Je cherchais toujours une excuse pour retourner à cette auberge lorsque je l'ai revue par hasard.

J'étais passé acheter des rasoirs à la pharmacie et dans la file de la caisse, elle est venue se placer juste derrière moi. Je l'avais reconnue de loin. En fait, j'avais repéré au fond d'une allée une chevelure en bataille qui m'avait fait penser à elle. Lorsque mon regard a croisé ses pastilles chocolatées, je n'ai plus eu de doute. Je l'entendais respirer dans mon dos. On aurait dit un vent humide tourbillonnant au fond d'une vallée. Elle était enrhumée, la pauvre.

À la caisse, la jeune fille faisait son possible, mais le service était lent. Je sentais la belle s'impatienter. Elle marmonnait des mots à peine audibles qui, selon moi, n'auraient pas fait plaisir à la caissière. J'aurais voulu entamer la conversation, mais je ne trouvais rien à lui dire. J'aurais pu profiter de son exaspération pour casser du sucre sur le dos de l'employée, mais celle-ci ne le méritait pas.

— Tu peux passer devant, si tu veux...

Je lui avais spontanément offert ma place, au quatrième rang. Une légère avancée, mais une avancée tout de même.

— Non merci, avait-elle répondu entre deux quintes de toux.

— C'est une étudiante, elle est en formation.

J'avais menti pour attirer sa clémence, mais surtout dans l'espoir qu'elle répondrait à mon commentaire par une autre remarque et qu'au bout du compte, nous engagerions la conversation.

— ...

— Il me semble te connaître, avais-je risqué devant son peu d'intérêt à discuter des problèmes de performance de la caissière.

Elle avait haussé les épaules, me signifiant qu'elle ne me reconnaissait pas ou que ça lui indifférait de m'avoir déjà rencontré, et sans doute que je n'étais pas le premier à utiliser ce piètre stratagème pour l'aborder.

— Tu travailles dans cette auberge au bord du Richelieu, non? ai-je ajouté pour lui prouver que je ne mentais pas en prétendant l'avoir déjà rencontrée.

Elle avait confirmé d'un léger mouvement de tête avant de me jeter son poison à la figure.

— Je te replace, tu es le type qui n'a pas cessé de me dévisager l'autre soir.

— J'ignore si je suis celui dont tu parles, mais oui, je suis un des nombreux hommes qui t'ont regardée ce soir-là et probablement tous les autres soirs avant et après, me suis-je défendu.

J'aurais pu ajouter que, malgré son affreux uniforme qui lui donnait des allures de croque-mort, elle était ce jour-là plus ravissante que la mariée dans sa blancheur virginale et que si ses yeux flottaient aujourd'hui dans un horrible liquide visqueux, ils n'en étaient pas moins les plus beaux du monde. Mais j'avais décidé d'y aller mollo avec les déclarations.

— ...

— Je me suis toujours demandé comment font les gens pour attraper un rhume en plein mois de juillet, ai-je ajouté, optant pour une position de repli.

— L'air conditionné, avait-elle répondu avant de se taire définitivement.

Inutile d'insister. Je lui avais tourné le dos en attendant de régler mes achats. J'étais sorti en me répétant que c'était injuste. J'avais eu la chance de la croiser à nouveau, simplement pour me faire rabrouer à mon tour. Je faisais désormais partie du même lot que le type de l'auberge, la horde des prétendants écartés.

Elle n'avait pas vraiment eu le choix de lever les yeux sur moi lorsque les portes automatiques s'étaient ouvertes pour la laisser sortir. Accoté à l'arbre devant la pharmacie, j'avais décidé de l'attendre. Après mûre réflexion, j'étais arrivé à la conclusion que mon ego était capable d'en prendre encore un peu. Je faisais semblant de vérifier mes messages sur mon cellulaire quand nos regards se sont croisés. Si je n'avais pas détecté dans ses yeux une étincelle de plaisir à me retrouver là, je n'aurais pas insisté. J'avais donc profité de cette éclaircie pour aller vers elle et lui offrir de porter son sac au fond duquel traînait trois fois rien. Mon geste de galanterie intéressée lui avait soutiré l'ombre d'un sourire.

— Tu habites dans le quartier? lui avais-je demandé avant de réaliser que ma question pouvait être menaçante pour une fille qui se fait aborder par un inconnu.

— Si on veut, et toi ? m'avait-elle relancé pour mon plus grand plaisir.

Nous avions fait un bout de chemin ensemble en échangeant des banalités. Il y avait un petit moment que nous étions arrêtés lorsque je l'ai vue fouiller dans son sac à main. « Elle cherche son cellulaire, elle va noter mon numéro de téléphone », espérais-je. C'est alors qu'un autobus était venu s'immobiliser devant nous. Levant les yeux, je me rendis compte que nous étions à un arrêt. La belle venait de trouver sa passe mensuelle. Je n'avais été qu'une distraction, le temps que son autobus arrive.

— Crois-tu qu'on pourrait se revoir ? je lui avais demandé alors qu'elle s'apprêtait à monter.

— Je ne crois pas que ce soit une bonne idée, m'avait-elle prévenu.

— Tu as déjà un copain ?

— Non... Mais nous deux, c'est pas une bonne idée...

Je l'ai suivie à bord de l'autobus. Je n'étais pas du tout d'accord avec son affirmation. Et puis, elle n'avait pas d'homme dans sa vie et ses yeux me laissaient deviner autre chose que ce que sa jolie bouche m'avouait.

— Je ne pensais pas que tu attendais l'autobus, m'avait-elle lancé d'un air espiègle tandis que je prenais place à côté d'elle.

Elle avait accepté que je la raccompagne jusque chez elle avant de me tendre cruellement la main au moment de nous quitter. Je m'étais docilement soumis à ses salutations protocolaires avant de lui demander, à nouveau, s'il était possible de se revoir. « Juste une fois », avais-je insisté en escomptant lui soutirer un second rendez-vous à la suite de ce premier, et ainsi de suite jusqu'à la fin des temps. Ce n'était pas possible. J'avais au moins réussi à savoir son prénom : Justine.

Je suis retourné chez moi à pied, en sautillant, le cœur gonflé à bloc. J'avais du mal à croire qu'il ne s'était rien passé entre nous, que cette bouffée de bons sentiments qui m'allégeait la poitrine et me redonnait confiance dans le sort ultime de l'humanité était le seul fait de mon imagination. Ne pouvant ignorer son refus catégorique, j'avais tenté de me calmer et de me convaincre qu'il s'agissait d'une fantaisie passagère; ma température corporelle allait redescendre. Au bout de dix jours, j'ai craqué.

Ce jour-là, il faisait un soleil d'enfer. Je regardais les couples se promener main dans la main et je ne comprenais pas pourquoi je ne tenais pas celle de Justine au creux de la mienne. J'ai demandé un crayon et du papier au garçon qui venait de m'apporter une bière. Je lui ai simplement écrit que je ne comprenais pas pourquoi sa main n'était pas dans la mienne sous ce soleil éblouissant, avec mon prénom et mon numéro de téléphone. J'ai marché jusque chez elle et j'ai glissé mon tendre aveu dans la fente de sa boîte aux lettres.

Au bout de quelques jours, j'avais abandonné tout espoir de recevoir un appel de Justine. Je m'étais presque fait à l'idée de l'oublier lorsqu'un dimanche matin, j'ai remarqué un couple dans le parc. La fille courait en donnant des coups de pied sur un ballon pendant que son copain lui faisait des crocs-en-jambe en la retenant pour qu'elle ne tombe pas. Leur jeu m'avait donné envie de lui écrire une autre lettre. Une troisième a suivi quelques jours plus tard, après que j'eus surpris une rouquine essayant des chapeaux sous le regard amusé d'un costaud ensorcelé.

J'aurais pu continuer longtemps ainsi, à écrire des lettres comme on souffle des bulles de savon qui s'évanouissent dans l'air. J'ai plutôt décidé de mettre fin à ma correspondance alors que j'étais en pleine séance d'écriture. Je constatais la futilité de ma démarche et je me disais que Justine ne méritait pas d'être harcelée par un soupirant à la plume enflammée. J'ai froissé les mots que j'avais mis des heures à trouver pour les jeter dans un sac bleu, avec le reste des matières recyclables.

J'ai toujours pensé que Justine avait ressenti une sorte de coupure de courant à ce moment-là, car le lendemain matin, un dimanche du mois d'août, elle m'avait téléphoné. Ayant supprimé de ma conscience toute probabilité de la voir réapparaître dans ma vie, j'avais répondu sur le ton impatient d'une personne qui s'apprête à rembarrer un vendeur ou une firme de sondage sous prétexte que le moment est vraiment mal choisi.

Elle m'avait parlé comme à une vieille connaissance. Elle voulait savoir si j'étais disponible pour aller faire une promenade avec elle et me donnait rendez-vous au métro Champ-de-Mars, dans le Vieux-Montréal. En la regardant venir à ma rencontre, dans sa robe longue que les vents contraires lui collaient au corps, la main droite occupée à triturer sa mèche de cheveux, j'ai compris que nous deux, c'était devenu une bonne idée.

Nous sortions ensemble depuis deux ans quand Justine a disparu. Je m'attendais à la retrouver chez moi le soir de son rendez-vous important. J'étais sûr qu'elle aurait une excellente nouvelle à m'annoncer. Elle travaillait depuis quelques années à l'écriture d'un livre. J'avais deviné que ce matin-là, elle avait rendez-vous avec un éditeur. Pour ne pas lui gâcher son plaisir, j'avais joué le jeu du gars qui ne se doute de rien. Mais Justine n'avait pas donné signe de vie le soir venu, elle n'avait même pas laissé de message dans ma boîte vocale. Rien. J'en avais déduit que son rendez-vous n'avait pas donné les résultats escomptés et qu'elle préférait rester seule, chez elle.

Ce n'était d'ailleurs pas la première fois qu'elle m'excluait de ses déconvenues. J'avais l'habitude de ces mises à l'écart. Parfois, je savais pourquoi. Mais la plupart du temps, je ne comprenais pas ce qui nous arrivait. Justine se fâchait et disparaissait. Je devais attendre qu'elle se manifeste à nouveau. Généralement, elle me rappelait dans les heures qui suivaient, autrement il me fallait patienter deux ou trois jours.

Elle réapparaissait comme elle avait disparu. Brusquement, sans explication. Comme si de rien n'était. Elle entrait chez moi, le pas nonchalant, le sourire aux lèvres, en faisant tournoyer une mèche de cheveux entre ses doigts. « Alors, on fait quoi aujourd'hui ? » La vie reprenait là où on l'avait laissée. Au début, j'avais eu de la difficulté à m'adapter à ces fugues. Lorsque j'ai compris qu'elles étaient momentanées et surtout, inévitables, je m'y suis fait.

En réalité, je n'avais aucune expérience. Justine était ma première histoire d'amour. J'avais flirté avec des filles ici et là, mais une vraie relation, jamais. Et puis, elle m'intimidait un peu, du fait qu'elle était mon aînée de quatre ans. À vingt-six ans, Justine me semblait beaucoup plus mature que moi. Je lui faisais confiance de faire ce qu'il fallait pour que notre couple fonctionne. Ainsi, ce soir-là, je l'avais attendue comme toutes les autres fois. Et dans la nuit, j'avais fait un rêve étrange.

Des amis nous avaient invités à un repas d'anniversaire. Leur appartement ne comportait pas de toilette moderne. Nous devions nous soulager dans une toilette sèche installée dans une minuscule pièce qui servait de rangement. Après trois bières rapidement ingurgitées, j'étais allé au petit coin. Au lieu de tomber dans un trou, les déchets organiques s'amassaient dans un sac de plastique suspendu au plafond par un crochet et grossièrement retenu par une sorte de filet de pêche. Il était évident que le sac allait exploser plus tôt que tard. De retour au salon, je transmettais cette délicate information à l'hôte de la soirée lorsqu'un épais liquide brunâtre était venu nous lécher les pieds. Je m'étais réveillé paniqué ; Justine et moi allions mourir noyés dans de l'eau souillée.

Hanté par mon rêve, j'avais aussitôt tenté de joindre Justine. Elle n'avait pas répondu. J'ai recomposé son numéro en sortant de la douche et une fois de plus avant de partir travailler. Toujours pas de réponse. « Elle me téléphonera lorsqu'elle sera prête », m'étais-je dit.

Lorsque je suis rentré du travail ce jour-là, Justine n'avait pas encore donné signe de vie. J'avais espéré qu'elle passe me voir à la boutique. Je l'aurais prise dans mes bras et je l'aurais serrée très fort pour lui transmettre toute la confiance que j'avais en elle et qui était plus grande que la plus haute des montagnes. Je lui aurais aussi dit que si l'éditeur n'avait pas voulu de son livre, c'est qu'il était con et que des cons, elle n'en avait pas besoin dans sa vie. Mais, comme d'habitude quand ça chauffait dans sa tête, Justine n'était pas venue vers moi, elle avait préféré se terrer.

J'avais mangé devant la télévision en m'efforçant d'oublier qu'elle m'ignorait. Les heures passaient et chacune me confirmait ce que je savais déjà, Justine ne me téléphonerait pas. Du moins, pas ce soir. À vingt-deux heures, j'avais essayé de la joindre une dernière fois. J'étais tombé sur sa boîte vocale, comme avant. « Si vous me laissez un message, je vais peut-être vous rappeler », disait-elle sur un ton amusé après m'avoir fait écouter un air de salsa.

« Elle a mis ses bouchons... » Je tentais de me convaincre. Elle en a toujours à portée de main depuis que ses nouveaux voisins ont emménagé au-dessus de chez elle. Elle gère leur tapage nocturne à la pointe du balai et à l'aide de bouchons dont l'indice de réduction du bruit est de trente-trois décibels. La première fois que je l'avais vue avec ces horribles guimauves violettes insérées dans ses jolies petites oreilles, je m'étais esclaffé.

— Tu ne vas tout de même pas dormir avec ces horreurs... un bonnet de nuit avec ça?

Elle m'avait foudroyé du regard en me disant que si l'équipage d'Ulysse avait utilisé des bouchons pour éviter d'être attiré par le chant des sirènes, elle pouvait bien en faire autant pour atténuer le vacarme de ses voisins. Je m'étais aussitôt imaginé une horde de mâles en rut admirant de magnifiques femmes aux seins nus et arborant aux oreilles des bouchons fluo.

— Salut ma puce, je suis inquiet... Il y a un moment qu'on ne s'est pas parlé, rappelle-moi.

J'avais parlé sur un ton coquin, aussi loin que possible du reproche.

Elle ne s'était toujours pas manifestée le lendemain ni le surlendemain. Je ne me souviens plus exactement des gestes que j'ai posés par la suite, ni dans quel ordre je les ai posés, mais Justine semblait déterminée à m'ignorer. Je sentais que cette fugue était différente des autres à cause du silence, de la qualité du silence. J'étais toujours arrivé à la sentir lorsqu'elle disparaissait, mais cette fois-là, je n'y arrivais pas. « Elle a refermé la porte sur moi », je me disais. Telle était ma Justine, une femme intense, farouche et imprévisible.

Dans les jours qui ont suivi, sa sœur Émilie a laissé des messages dans ma boîte vocale. Je n'ai rien compris à ce qu'elle me racontait, outre le fait que Justine était partie en voyage. Choqué, j'effaçais les messages dès que je reconnaissais la voix d'Émilie. Si Justine avait quelque chose à me dire, elle n'avait qu'à me téléphoner elle-même. Émilie s'était ensuite présentée à mon travail, mais heureusement pour moi, j'avais réussi à l'éviter. J'en voulais à Justine de se soustraire ainsi à ses responsabilités et d'utiliser sa sœur pour se débarrasser de moi. Je n'avais d'ailleurs pas besoin d'elle pour comprendre que Justine et moi, c'était fini. Ce que je ne saisissais pas, c'était pourquoi. Et je n'avais pas envie d'avoir cette discussion avec Émilie.

« L'éditeur », avais-je finalement conclu. Elle m'avait quitté pour l'éditeur, celui qu'elle était allée rencontrer le matin de son rendez-vous important. Il devait l'avoir impressionnée avec son bureau rempli de beaux livres, son langage châtié et ses projets d'écriture. Je les imaginais se gaver de mots, de phrases savantes et de références littéraires. La bouche saturée d'allégresse verbale, ils gloussaient de plaisir. À ce stade, ils étaient déjà au niveau de l'acte sexuel, en pleine phase de séduction, voire de consentement mutuel. L'éditeur bramait comme un cerf en sécrétant des phéromones qui éclaboussaient ma belle.

Pendant ce temps, Justine feignait de ne pas voir son jeu, soupesant ses options. Le succès littéraire ou le cocon douillet de notre amour. Indécise, elle tournait et retournait la question dans sa tête en même temps qu'une de ses mèches de cheveux, ignorante de l'effet aguichant que cet enchevêtrement de boucles souples et de doigts fins pouvait avoir sur un éditeur animé de pulsions libidineuses.

— Nous pourrions revoir le texte chez moi, nous serions plus à l'aise, s'était-il probablement permis de suggérer.

Le macaque avait fait semblant de s'intéresser à son bouquin alors qu'il se captivait pour elle. Elle l'avait sans doute suivi docilement jusque chez lui, pour ne pas rater sa chance d'être publiée. Lorsqu'il s'était avancé pour l'embrasser devant sa bibliothèque pleine à craquer de beaux ouvrages, je suis sûr que Justine avait reconnu l'odeur de l'encre sur sa peau. Il n'en fallait pas plus pour qu'elle se soit crue amoureuse. Elle s'était donnée à lui en confondant le tumulte de leurs ébats au rythme saccadé des presses et si elle avait joui, c'était d'imaginer son roman jaillissant au bout de la chaîne.

J'aurais dû faire la peau à ce tombeur littéraire. À tout le moins lui casser une dent ou deux. Il faut dire que je n'ai pas tout de suite saisi ce qui s'était passé ce matin-là. Il m'a fallu plusieurs semaines pour me rendre à l'évidence que c'était sérieux, qu'elle ne reviendrait pas. À partir de là, j'ai déconstruit chaque heure à compter du moment où Justine était arrivée chez moi avec son réveille-matin à la main jusqu'à ce qu'elle disparaisse de mon champ de vision alors que je l'observais de ma fenêtre.

À force de réfléchir, j'étais arrivé à la conclusion qu'il devait nécessairement s'être produit un choc terrible. Un événement important qui avait changé le cours de sa vie et, par ricochet, de la mienne. Ce choc brutal, cette cassure pouvait expliquer en partie le fait que je ne sentais plus sa présence. Un coup de foudre. Il ne pouvait s'agir que de cela. Justine, qui s'était montrée hésitante à s'engager dans une relation amoureuse avec moi et dont j'avais finalement ravi le cœur par mes déclarations candides, avait succombé au charme d'un autre homme.

J'ai cherché qui pouvait bien avoir séduit ma bien-aimée. Il ne fallait pas être trop futé pour comprendre. Ton amoureuse rêve d'être publiée. Elle va rencontrer un éditeur et ne revient jamais. Elle est donc restée avec lui, un homme de lettres.

Je ne devais pas être loin de la vérité, car peu de temps après, sa boîte vocale avait été désactivée. Espérant la surprendre, j'arpentais régulièrement sa rue. Il n'y avait jamais de lumière dans son appartement. À l'automne, sa table à café était restée sur le balcon. Les rideaux qui étaient longtemps restés fermés avaient finalement été décrochés. Et puis un jour, j'ai aperçu un jeune couple par la fenêtre, ils peinturaient. Je venais d'avoir la confirmation que Justine avait refait sa vie.

À partir de là, il était trop tard. Trop tard pour tenter quoi que ce soit. Je la connaissais assez pour savoir qu'elle ne reviendrait ni sur sa décision ni vers moi. Il n'était pas question pour moi de m'humilier devant elle et son macaque. Quémander son amour, me jeter à ses pieds ? Rien dans cette scène n'aurait pu séduire ma Justine et la convaincre de faire marche arrière. Elle m'aurait vu comme un jeunot ne faisant pas le poids devant un professionnel chevronné. Alors je n'ai rien fait. Rien d'autre que d'espérer son retour et, en l'attendant, de cultiver nos souvenirs.

Je chérissais particulièrement les vêtements qu'elle avait laissés chez moi et qui avaient gardé son odeur. Je dormais avec un de ses chandails et que je plaçais sous mon visage. Avec le temps, je devais plonger mon nez entre les mailles de la laine et dans les fibres du coton pour déceler un soupçon de son parfum. Un jour, je suis allé acheter un flacon de sa fragrance préférée. Soixante-quinze dollars ! « Du vol », me suis-je dit en déchirant l'emballage comme un drogué impatient de se remplir les narines. Son t-shirt à la main, prêt à l'asperger, je me suis senti misérable. Pire, pathétique. Je suis sorti sur le balcon et j'ai lancé la bouteille à bout de bras. J'ai entendu le verre se fracasser contre l'asphalte. Il fallait que j'apprenne à vivre sans elle.

J'avais beau me dire qu'elle était heureuse avec son éditeur, qu'il devait la comprendre mieux que moi et la soutenir plus adéquatement dans son processus créatif, je vivais durement la séparation. Certains soirs, après avoir ingurgité quelques bières de trop, je mettais en scène son improbable retour. Justine revenait me retrouver chez moi. Immobile dans l'embrasure de la porte, elle attendait de voir si elle était toujours la bienvenue. Allongé sur le divan, je feignais l'indifférence en humant les premières notes de son parfum. Pour être sincère, j'hésitais. Est-ce qu'en acceptant ce retour, j'acquiesçais à ses prochains départs ? Cette mise à l'écart n'avait-elle été qu'un faux pas, ou bien était-ce le début d'une mauvaise habitude ? Allait-elle se mettre à jouer au yoyo avec moi, partant et revenant au gré de ses futurs amants ? J'avais toujours consenti à ce qu'elle s'éloigne momentanément de moi parce qu'elle avait besoin d'espace pour garder son équilibre, mais jamais je n'accepterais de va-et-vient entre moi et ses multiples conquêtes.

Dans mes rêveries, je devinais chez elle une grande lassitude. Cette seconde rupture, celle avec l'éditeur, avait été exigeante. De reconnaître ses erreurs et de détricoter la séquence de ses mauvaises décisions l'avait vidée de son énergie. Avec ses bras ballants de chaque côté de son corps amaigri, elle ressemblait à une enfant fautive. Elle regrettait son geste. De m'avoir largué pour un autre. D'être allée au lit avec un autre. De m'avoir profondément blessé à cause d'un autre.

J'avais envie de profiter de sa vulnérabilité pour la faire sentir coupable en l'abreuvant de reproches ou, plus subtilement, pour la meurtrir à mon tour en l'ignorant, le temps qu'elle reparte comme elle était venue. Je pourrais aussi déverser sur elle la colère qui me gonflait les poumons comme une voile par grand vent. Dans mon imagination, je finissais toujours par m'approcher d'elle pour l'enlacer amoureusement. Elle pleurait et moi je la serrais très fort en espérant que plus jamais elle ne m'échapperait.

Ces scènes inventées dont je me nourrissais des soirées durant avaient le même effet sur moi que celles où je me voyais finir au fond du fleuve. Elles me rendaient malade.

J'évitais de parler du départ de Justine avec ma mère ou mon ami Maxime. Je taisais tous les petits gestes que je posais chaque jour en prévision de son retour. Je ne leur avouais pas avoir suivi une femme dans la rue en croyant que c'était elle. Ils étaient certains tous les deux que Justine ne reviendrait jamais. Ils ne me le disaient pas aussi crûment, mais ils ne le pensaient pas moins. Ma mère était convaincue que si je rencontrais une autre femme, je finirais par l'oublier. Maxime m'invitait à faire du sport, beaucoup de sport. Il croyait que c'était ce qu'il y avait de mieux pour le moral.

Personnellement, je trouvais qu'ils étaient tous les deux mal placés pour me donner des conseils. Ma mère n'avait jamais accepté la mort de mon père et Maxime ignorait tout des peines d'amour. C'est ainsi que j'ai cessé de leur parler de Justine et que je me suis enfermé avec elle dans ma tête. Je sais que certains évitent de vivre leur deuil en se consacrant entièrement à la mémoire de la personne disparue ; je faisais de même avec ma Justine qui m'avait quitté pour un obscur éditeur.

Il y avait longtemps que le réveille-matin avait cessé de sonner. Perdu dans mes pensées, j'étais resté sur le fauteuil à rêvasser de Justine. Le bruit des pas pressés de mon voisin dans l'escalier m'avait ramené à l'ordre. Je me suis levé paresseusement pour voir à quel point j'étais en retard. Le réveil marquait sept heures quatorze. Je devais partir dans moins de vingt minutes. Je pensais au vieux, il devait déjà être à la boutique. Il y était toujours, du matin au soir, sept jours par semaine, depuis quarante ans.

J'ai sauté vite fait dans la douche en regardant d'un œil inquiet la pluie qui martelait la fenêtre de la salle de bain. Il pleuvait depuis maintenant quatorze heures. Le déluge ne semblait pas vouloir perdre de son intensité. Heureusement pour moi, il n'y avait pas d'infiltration.

Je m'apprêtais à quitter l'appartement lorsque mon estomac m'a envoyé un signal. J'avais faim. Une vision d'œufs baignant dans le beurre, accompagnés de deux rôties sur lesquelles des tranches de fromage fondaient lascivement, s'est imposée à mon esprit. J'ai bifurqué vers la cuisine avant de retourner immédiatement sur mes pas vers l'escalier. J'allais être en retard.

J'ai descendu quelques marches que j'ai aussitôt remontées. J'ai spontanément rallumé le poste de radio que je venais tout juste d'éteindre. La porte du frigo grande ouverte, je suis allé cueillir sur la tablette du bas la boîte d'œufs achetée la veille. J'en ai saisi trois de la main droite. Le beurre fondait déjà dans la poêle lorsque j'ai encore changé d'idée. Il était préférable que j'arrive à l'heure. J'achèterais un muffin en chemin.

Je m'empressais de replacer les œufs dans le carton quand il m'a glissé des mains. Sur la douzaine, seuls deux avaient survécu. C'est à ce moment-là, alors que je nettoyais mon dégât, que Justine est réapparue dans ma vie par les ondes radiophoniques.

L'odeur des épices

— Q ue puis-je pour vous, *jeune homme*?
C'est la première question que le vieux m'a posée
lorsque je l'ai rencontré. Le vieux, c'est le propriétaire de la boutique d'épices où je travaille. Monsieur Suna Şahenk, de son
nom. Je l'appelle affectueusement le vieux pour faire écho à son
fameux *jeune homme* dont il m'affuble sans arrêt. Autrement, je
dis monsieur Suna, refusant de l'interpeller simplement par son
prénom comme il m'a demandé de le faire dès le premier matin.

Je venais d'entrer dans son commerce après avoir remarqué
une affiche dans la vitrine : *Emploi disponible.*

— Je viens pour l'emploi, j'ai dit en grattant mon nez que les
effluves de piment venaient chatouiller.

— Vous connaissez quelque chose aux épices?

— Oui, avais-je menti.

— Quelle est votre épice préférée?

Mon premier réflexe était de répondre le poivre, mais je savais
que c'était une réponse trop facile pour un type qui voulait se
montrer connaissant, alors j'ai dit le cari.

— Vous savez ce qu'est le cari, *jeune homme*?

Je ne pouvais pas lui répondre que c'était une épice, il venait
de me demander quelle était mon épice préférée. Ce n'était

donc pas une épice. C'était quoi alors ? Une fleur ? Une racine ? Une graine ? Du coup, j'avais senti les bielles de mon cerveau se mettre en marche, à la recherche d'une réponse qui aurait pu satisfaire le vieux. Comme par miracle, je me suis souvenu que mon ami Maxime avait expliqué lors d'un souper que le cari était un mélange d'épices. Jusqu'à vingt épices différentes, avait-il précisé, du moins, il me semblait.

— Un mélange d'épices, j'avais spontanément lancé en espérant que Maxime savait de quoi il parlait.

— Et le poivre, *jeune homme*, que pouvez-vous me dire du poivre ?

— Que ça coûte cher, avais-je répondu en boutade.

Le propriétaire avait compris que je ne connaissais rien aux épices et je savais que cet emploi, je ne l'aurais pas. Il ne me servait à rien de continuer à faire le pitre devant lui.

— Vrai, il y a à peine un siècle, des esclaves étaient vendus pour le prix d'un sachet de poivre... Qu'attendez-vous de moi, *jeune homme* ?

Sa question était bizarre et, à le regarder de plus près, j'ai vu que celui qui l'avait posée l'était tout autant. Grand et maigre comme un échalas, le propriétaire flottait dans un complet fatigué d'une élégance austère et désuète. Ses cheveux, encore abondants, étaient peignés vers l'arrière et tombaient en cascade de boucles blanches sur le col élimé de son veston. Posée sur son nez, une paire de lunettes rondes soulignait l'arrondi de ses yeux cernés et, au centre des lentilles cerclées de métal, des pépites bleu acier.

Qu'est-ce que j'attendais de lui ? J'aurais pu répondre que je voulais qu'il cesse son interrogatoire bizarre, qu'il me confirme le plus tôt possible que j'avais l'emploi et qu'il me permette de le conserver jusqu'à ce que je trouve mieux.

— Pardon ? avais-je demandé pour gagner du temps.

— Si vous êtes pour vous installer ici, il faudrait savoir ce que vous voulez, *jeune homme*...

C'est là que j'ai compris que le vieux n'allait pas bien. Il était fatigué d'être vieux. J'aurais pu lui avouer que j'en avais assez d'être jeune, de devoir trouver ma place dans la société, comme m'avait invité à le faire le conseiller en orientation à l'université. Il m'avait aussi dit que je devais planifier ma carrière, me créer un réseau de contacts, rester informé des dernières tendances. Il m'avait surtout répété d'être patient. J'étais au bas d'une échelle dont je devais gravir les marches, une à la fois, avant d'arriver au sommet.

— C'est comme ça dans la vie, avait-il conclu en me regardant droit dans les yeux.

Une sorte de lavage de cerveau, avais-je pensé à l'époque. C'était sa responsabilité de préparer des pelotons d'universitaires prêts à s'engager dans la vie professionnelle. Arrivé au bout de sa rhétorique incantatoire, le type s'était levé pour m'ouvrir toute grande la porte de son bureau, geste que j'aurais pu interpréter comme une invitation vers un avenir meilleur. Malheureusement, la réalité était tout autre. Je devais céder la place au prochain érudit qui semblait tout aussi découragé que moi et à qui l'expert en placement allait servir le même discours déprimant et moralisateur de l'incontournable échelle à gravir.

On était là depuis un moment, le vieux et moi. Lui suspendu à ma réponse et moi interloqué par sa question, lorsqu'il a brisé le silence :

— Je vous attends demain matin à huit heures trente, avait-il dit avant de me tourner le dos pour disparaître dans l'arrière-boutique.

Je n'avais rien compris au processus d'embauche, sauf que j'avais l'emploi et c'était tout ce qui m'importait.

Sachant que j'allais passer quelques semaines dans ce magasin, je me suis dit que je ferais bien d'en faire le tour, question de me familiariser avec la marchandise. Une vraie caverne d'Ali Baba, ai-je pensé en voyant tout le bric-à-brac qui l'habitait. Sur le côté, contre le mur, il y avait des meubles imposants qui auraient pu être des bibliothèques, mais qui n'en étaient pas. Sur les tablettes s'alignaient des dizaines de bouteilles d'huile en provenance d'Espagne, d'Italie, de Grèce et de Tunisie; des flacons de vinaigre de vin blanc et rouge, de riz, de cidre et balsamique; des pots de moutardes diverses et autres condiments, allant de la tapenade au chutney, en passant par toute une gamme de sauces épicées dont j'ignorais jusqu'alors l'existence.

À ma droite, une rangée de compartiments en bois rappelant des casiers postaux accueillait des épices moulues ou entières dans des sachets de plastique. Cannelle, cardamome, coriandre, cumin, clous de girofle, fenouil, gingembre, laurier, lavande, muscade, paprika, piment, poivre rouge, poivre vert, poivre noir, poivre blanc et ainsi de suite, comme on pouvait le lire sur de petites fiches punaisées au milieu des portes miniatures. Tout en haut, des gousses de vanille étaient joliment présentées dans des sortes d'éprouvettes à bouchon de liège.

Au centre de la boutique, dans de grands bacs, des sacs de riz basmati, turc et perlé, des poches de lentilles et de fèves. Ici et là, des tonneaux de bois remplis d'olives, de cornichons et de noix encombraient le plancher. Plus loin, d'autres bacs de grosseurs et de formes diverses offraient des variétés de dattes, de figues, de raisins et d'abricots séchés. Et survolant toutes ces denrées qui titillaient le nez, les papilles et l'imagination, des dizaines de paniers en osier flottaient au plafond, retenus par des tiges de métal, prêt à être décrochés et remplis de produits exotiques.

En me dirigeant vers la sortie, je remarquai sur le comptoir, près de la porte, une vieille balance à plateaux qui côtoyait une caisse enregistreuse d'une autre époque. Derrière le comptoir, des livres étaient soigneusement rangés sur une tablette fixée au mur dont le reste de l'espace était tapissé de cartes postales. Des amis, des clients, des fournisseurs donnaient de leurs nouvelles des quatre coins du monde. Sous leurs messages, dans le coin, s'entassaient des mortiers et des pilons. Enfin, entre le comptoir et le mur, un haut tabouret en bois blond sur lequel je retrouverai chaque matin le vieux, assis devant un café fumant. Mais ça, je ne le savais pas encore...

Il y avait tellement de couleurs, d'odeurs et de produits dans cette boutique que la tête se mit à me tourner. Ce qui m'était d'abord apparu comme un jeu d'enfant devenait, après observation, un problème complexe. Comment ferais-je pour connaître toutes ces denrées? Savoir où les trouver? Qu'en faire? Quels conseils donner aux clients pour s'en servir? Les méthodes de cuisson? De conservation?

— Vous êtes encore là, *jeune homme*?

Le vieux m'avait surpris en pleine crise existentielle. J'espérais qu'il n'avait pas remarqué mon désarroi devant la multiplicité de ses produits et l'étendue de mon ignorance.

— Au fait, je m'appelle Oliver, je lui avais dit en lui tendant la main comme pour sceller notre entente.

— Vous savez que l'olivier est un symbole biblique de paix, de prospérité et de joie? Certains oliviers vivent au-delà de mille ans? Ça augure bien pour vous, *jeune homme*.

— Mon prénom est Oliver et non Olivier, m'étais-je permis de préciser.

— Mais nous sommes au Québec, c'est quoi ce prénom anglophone...

Je n'avais pas répondu à sa question que ne me semblait pas en être vraiment une, mais plutôt un commentaire désobligeant. La vérité est que ce prénom à l'anglaise m'agace aussi. Habituellement, je prétends m'appeler Olivier, mais lorsque ma mère apprend que j'ai menti sur mon prénom, elle me demande si j'ai honte. Chaque fois, j'ai l'impression qu'elle cherche à savoir si j'ai honte d'elle. Je n'ai pas honte d'elle, mais je ne suis pas très fier non plus, essentiellement en ce qui concerne le choix de ce prénom et ce qu'il représente pour elle.

Ma mère est une femme romantique, elle a toujours vécu dans un monde quelque peu en marge de la réalité. Elle n'est pas folle, mais démesurément sentimentale. Elle croit à l'amour comme d'autres croient en Dieu : avec une grande ferveur. Ainsi, lorsqu'elle a appris qu'elle était enceinte de moi, elle a eu envie de me donner un prénom qui incarnait la profondeur de ses sentiments pour mon père. Elle a choisi Oliver pour Oliver Barrett IV, l'amoureux de Jennifer Cavalleri dans *Love Story*.

Malheureusement pour nous trois, mon père est décédé peu de temps après ma naissance. Il revenait d'une partie de tennis disputée avec un ami. Ma mère était descendue au sous-sol plier les draps qui avaient fini de culbuter dans la sécheuse. En remontant, elle l'avait trouvé basculé sur sa chaise. Sa raquette, qu'il tenait toujours dans sa main, pointait vers le sol. J'avais deux ans et des poussières.

Longtemps, ma mère a pensé que mon prénom était responsable de sa mort prématurée ; elle avait influencé le destin et provoqué un autre drame déchirant. Quelques années de psychothérapie l'ont aidée à faire la part des choses entre son influence maléfique et la réalité d'une malformation congénitale. Je sais qu'à la suite de ce décès, ma mère avait envisagé de changer mon prénom. Craignant de brouiller une fois de plus les énergies cosmiques, elle était finalement revenue sur sa décision.

À bien y penser, le vieux pouvait bien m'appeler comme il voulait. Je n'avais pas l'intention de travailler longtemps dans sa boutique. Pour être franc, je cherchais activement un poste dans mon domaine, l'administration. J'avais mon diplôme depuis près d'un an et n'avais jusque-là occupé que des emplois sans intérêt. Il est vrai que les premiers temps, je n'avais pas cherché sérieusement. En fait, j'avais déduit à tort du discours d'accueil à l'université que les perspectives d'embauche dans ce domaine étaient excellentes. J'étais persuadé que les employeurs allaient me courir après dès la fin de mon baccalauréat. J'avais donc négligé les recherches, confiant qu'une multinationale allait tôt ou tard me mettre le grappin dessus.

Mais l'automne était arrivé sans qu'aucune société ne m'ait encore approché. Même le babillard des offres d'emploi, à l'université, était chichement pourvu en postes disponibles. Pire, mes amis avaient tous trouvé du travail régulier, me laissant dans l'impression qu'ils avaient vidé le bassin de possibilités intéressantes. Novembre s'était pointé sans prévenir, puis décembre. L'approche de Noël avait ralenti la vitalité des entreprises qui remettaient à l'année suivante leurs efforts de recrutement. Finalement, janvier s'était installé alors que je travaillais toujours dans une compagnie d'assurances pour laquelle je colligeais des données informatiques, confiné dans un bureau sans fenêtre, sous la tutelle d'un patron qui n'avait manifestement aucun intérêt pour son boulot et semblait avoir perdu l'usage de la parole.

Un jour, mon patron aphone avait ajouté à ma description de tâches des responsabilités insipides qui avaient fait chuter au plus bas ma motivation. Lorsque j'étais sorti pour prendre l'air à l'heure du dîner, il neigeait à plein ciel. Les flocons étaient tellement gros qu'on devinait presque la structure hexagonale des cristaux. J'avais déduit de cette féerie que la vie était trop belle pour tolérer un travail insignifiant, sous la supervision d'un chef démotivé, au sein d'une entreprise nébuleuse. En rentrant au bureau, j'avais donné ma démission. Il m'avait semblé apercevoir l'arcade sourcilière droite de mon supérieur se soulever légèrement avant de reprendre sa place.

— Ah! bon, avait-il tout simplement encaissé.

Dans les jours suivants, j'avais entrepris des démarches sérieuses pour trouver un poste correspondant à mes attentes. Débordant d'enthousiasme à la perspective de relever de nouveaux défis professionnels, j'avais sorti l'arsenal de guerre. J'avais mis à jour mon curriculum vitæ, rédigé une seconde version de ma lettre de présentation, inscrit des mots clés sur des moteurs de recherche et activé mon réseau de contacts. Bref, j'avais fait ce que le conseiller m'avait suggéré de faire à la fin de mon baccalauréat.

Le vendredi de ma dernière semaine de travail était arrivé et mes démarches n'avaient toujours pas porté fruit. J'avais quitté la compagnie d'assurances la tête haute, fier d'avoir respecté mes principes, mais inquiet quant à la manière dont j'allais m'y prendre pour honorer mes engagements financiers.

J'avais dû faire de gros efforts pour garder le moral dans les semaines qui avaient suivi. Je vivais chichement, surveillant les rabais, me contentant de fruits et légumes trop mûrs et de viandes soldées qui flirtaient dangereusement avec la date de péremption. Ma mère me refilait régulièrement de la nourriture, sous prétexte qu'elle en avait « trop fait », et me donnait de l'argent qui, « de toute façon, te reviendra un jour. » J'accueillais ces aumônes avec un plaisir coupable et j'en étais presque arrivé à regretter la compagnie d'assurances quand j'avais aperçu, dans la vitrine de la boutique d'épices, l'affichette *Emploi disponible*.

Ça faisait trois mois que je travaillais pour le vieux lorsque j'ai été contacté par une entreprise pharmaceutique à la recherche d'un jeune diplômé en administration. Mon état d'excitation frisait l'hystérie quand je me suis assis devant les recruteurs pour une première entrevue. Ils étaient deux à me poser des questions. Un futur confrère en fin de carrière et une fille qui s'était présentée comme faisant partie de l'équipe des talents. J'ai compris que c'était le terme à la mode pour dire qu'elle travaillait à la direction des ressources humaines.

— Vos qualités ? Vos défauts ? Le plus gros défi auquel vous avez eu à faire face ? La réalisation dont vous êtes le plus fier ? Où vous voyez-vous dans cinq ans ?

Pendant une heure et demie, ils m'avaient mitraillé de questions plus ou moins inoffensives. J'ignorais si j'avais fait bonne figure, mais le fait qu'ils m'avaient gardé aussi longtemps me semblait de bon augure. À la fin de l'entretien, ils m'avaient demandé si j'avais des questions. Ma mère m'avait conseillé d'en préparer, « ça paraît bien », m'avait-elle assuré. J'en avais trois bonnes en tête, de quoi avoir l'air d'un professionnel intelligent et prometteur. Je m'étais avancé sur le bout de ma chaise pour manifester mon intérêt par mon langage corporel, et je les avais savamment bombardés. Nous nous étions serré la main avec des sourires complices. Je crois qu'ils avaient pu déduire de l'entrevue que je me trouvais tout en bas de l'échelle, mais étais prêt à la grimper à grande vitesse.

J'avais été convié à une seconde interview au début de la semaine suivante. Les questions étaient sensiblement les mêmes que la première fois. En fait, ils refaisaient l'entretien pour voir si mes compétences et ma personnalité convenaient à mon futur patron qui avait pris place de l'autre côté de la table. Au bout d'une heure, mon éventuel supérieur et la fille responsable des talents s'étaient regardés, surpris de leur propre silence. Ils avaient fait le tour de moi. Ils n'avaient plus de questions. Moi non plus.

Le lendemain, une voix enjouée m'avait communiqué la bonne nouvelle : j'avais l'emploi. Trois jours plus tard, je rencontrais la fille des talents. Elle m'avait fait signer des papiers officiels et remis une pochette avec des copies de documents dont je devais prendre connaissance avant mon entrée en fonction.

J'avais fait avec elle le tour du service auquel j'allais me joindre. J'avais pris le temps de saluer mes futurs collègues en leur serrant chaleureusement la main tout en soulignant à quel point j'avais hâte de commencer le boulot. Avant de sortir de l'édifice, j'étais allé me présenter à la réceptionniste en sachant que sous peu, elle deviendrait une personne importante dans ma vie. Mes appels d'affaires et privés passeraient dorénavant par elle. Je devrais compter sur sa discrétion et son professionnalisme au quotidien.

J'avais traversé la porte en me sentant déjà une meilleure personne. J'avais un avenir. Bientôt j'aurais des collègues, des projets, des échéanciers, des livrables et un vrai salaire jumelé à un fonds de pension. Je pourrais prendre ma retraite à soixante ans, soit dans moins de quarante ans, et ce, en empochant soixante-dix pour cent de mon revenu avant impôt, avait précisé la fille des talents. J'imaginais ma mère pavoiser devant la galerie, mentionnant en passant son fils, analyste en « intelligence d'affaires » dans une grande société pharmaceutique.

— Alors *jeune homme*, vous allez conserver vos dents ?

J'avais décidé de taire ma recherche d'emploi au vieux tant et aussi longtemps que je n'aurais pas un poste confirmé. Il était inutile de l'inquiéter avec mon éventuel départ. Ainsi, ce matin-là, il me croyait chez le dentiste. Lorsque je suis finalement arrivé à la boutique, monsieur Suna remplissait des sachets de clous de girofle qu'il pesait avant de les ranger. Je m'étais joint à lui.

— Vous savez, *jeune homme*, le girofle est un antidouleur efficace... Si, un jour, vous avez une rage de dents, vous n'avez qu'à introduire un fragment de girofle dans votre molaire et la douleur s'atténuera presque instantanément. Un certain Briggs en a fait la découverte. C'était bien après que les femmes l'utilisent comme aphrodisiaque pour stimuler le désir sexuel de leur amant... Comme vous voyez, *jeune homme*, ces merveilleux bourgeons peuvent servir à bien d'autres choses qu'à piquer votre jambon, avait dit le vieux en me regardant d'un air espiègle.

Chez ce vieux bonhomme singulier, un monde mystérieux et enivrant de couleurs, de saveurs et d'odeurs s'était ouvert à moi. À ses côtés, j'avais le sentiment étrange de vivre dans l'univers des *Mille et une Nuits* où chaque lever du jour faisait naître en moi l'envie d'écouter la suite de ses histoires.

— ... les navires pouvaient transporter l'équivalent de deux milles chameaux... les caravanes affrontaient le désert pour rapporter d'Inde le poivre, la cardamome, le gingembre et le curcuma... longtemps on a cru que le girofle provenait du paradis terrestre, en fait on allait le chercher aux Moluques, c'est d'ailleurs dans ce chapelet d'îles que Pierre Poivre a volé les pieds de girofliers et de muscadiers qu'il a ramenés en France, un aventurier au nom prédestiné, ce Poivre, *jeune homme…*

Cette boutique était un grand roman d'aventures. Marco Polo, Vasco de Gama et Christophe Colomb y faisaient régulièrement apparition, se manifestant à travers la voix mélodieuse du vieux qui racontait leurs expéditions. Les mois de navigation, l'inconscience, les batailles, les jeux d'alliances, la noirceur humaine et les traîtrises.

— Au dix-huitième siècle, la fièvre des épices n'était plus ce qu'elle était deux cents ans plus tôt. Les marchands voulaient continuer à gagner gros tout en investissant moins et pour ce faire, ils avaient recours à une main-d'œuvre d'esclaves. Ce n'est pas d'aujourd'hui que la fortune des uns passe par l'exploitation des autres…

Toutes ces épices colorant le mur de fines touches de rouges et de jaunes dans toutes leurs nuances accentuées par les dégradés de brun, d'ocre, de vert végétal, de gris et de noir formaient un grand tableau impressionniste que le soleil éclairait plus ou moins, selon l'heure du jour et les saisons.

— Seule une partie de la plante est utilisée : le pistil du safran, le fruit du poivre ou de la coriandre, la racine du gingembre, le bouton du girofle, l'écorce de la cannelle ou la noix de muscade, me racontait-il en faisant naître chez moi l'image d'un vaste jardin où l'on cueillait du bout des doigts les précieuses épices.

C'était aussi une parfumerie avec ses fragrances acidulées ou sucrées, ses odeurs de mousse et de sous-bois.

— La mémoire est le siège de l'immortalité, avait-il dit un jour. Les odeurs sont le lien le plus fort que nous avons avec les émotions. Seules les odeurs peuvent nous faire voyager dans le temps et ramener le souvenir des années passées, ne l'oubliez jamais, *jeune homme.*

Ainsi, lorsque je quittais la boutique à la fin de l'après-midi, le soleil qui me chauffait le dos était celui du désert traversé par de longues caravanes. Le vent qui caressait mon visage, celui de la mousson qui gonflait les voiles menant les navires vers des contrées lointaines. Le courage qui m'habitait était celui des explorateurs qui avaient osé affronter l'horizon pour aller à la découverte du Nouveau Monde. J'étais hanté par l'esprit de ces grands aventuriers ayant risqué leur vie pour des saveurs et des parfums.

L'odeur des épices me poursuivait longtemps après que j'aie fermé la porte du magasin. Je m'endormais le soir en rêvant à ces pays où la peau des femmes avait la couleur dorée du cumin grillé, la douceur de la poudre de curcuma et le parfum de la menthe poivrée. Certaines nuits, une femme, toujours la même, venait à ma rencontre. Je devinais dans son regard la promesse de ce que le vieux nommait « la nuit de tous les possibles ». Au matin, le souvenir d'une robe de coton écru effleurant des pieds nus mouchetés de sable m'accompagnait des heures durant. C'était, bien entendu, avant ma rencontre avec Justine.

— J'ai quelque chose à vous dire, ai-je déclaré au vieux en finissant de ranger le girofle.

— Vous avez l'air sérieux, *jeune homme*, vous avez appris une mauvaise nouvelle ?

En marchant vers la boutique, je m'étais préparé à lui annoncer ce qui allait être pour lui une très mauvaise nouvelle. J'avais trouvé un emploi au sein d'une multinationale. Je réalisais enfin mon rêve de travailler dans mon domaine, d'acquérir stabilité et sécurité financière. Je pourrais bientôt aspirer à acheter une voiture et, dans quelques années, une maison. J'allais insister sur le fait que j'avais étudié pour obtenir ce poste. Il s'agissait d'une étape importante pour moi.

Afin d'amortir le coup, je lui offrirais de l'aider les fins de semaine, le temps qu'il me trouve un remplaçant. J'avais répété mon laïus et j'étais prêt pour la grande annonce. Je souhaitais une intervention rapide et efficace comme celle du chirurgien qui plante son scalpel dans le ventre d'un patient pour ouvrir la peau. Une entaille nette. Du sang, mais pas d'hémorragie.

Le vieux me dévisageait d'un air inquiet. Je me suis imaginé la déception que j'allais lui infliger en lui apprenant ma défection. La lourdeur que j'avais ressentie chez lui le premier jour et qui l'avait quitté depuis que j'étais là reviendrait d'un seul coup. Il serait à nouveau vieux et fatigué de l'être. Il ne s'agirait pas d'une entaille propre mais d'un coup de poignard droit au cœur. Je n'avais pas le choix.

— Le dentiste m'a donné congé pour deux ans, j'ai menti.

« C'est faux, me suis-je dit tout de suite après avoir pensé le contraire, j'ai le choix. » On a tous le choix de prendre des décisions qui nous font peur. Ce jour-là, j'ai choisi de suivre la route des épices plutôt qu'un parcours professionnel sans surprise. J'ai opté pour quatre mille ans d'histoire, de préférence à un avenir prometteur. J'ai privilégié la relation affective aux dépens du rapport économique. Si ma raison m'incitait à gravir l'échelle imaginaire menant au pouvoir et à l'accumulation de richesses, mon cœur me suggérait de prendre un risque, de faire confiance au destin. De me joindre à la horde des aventuriers et de foncer tête baissée vers l'inconnu. C'était il y a trois ans.

Le dégât d'œufs m'avait fait perdre un temps précieux. Après avoir ramassé les coquilles et tout essuyé, j'avais cru bon de passer un linge humide sur le plancher afin d'éviter que la masse gélatineuse ne durcisse et forme une pellicule cireuse.

Les deux pieds dans l'eau, le parapluie bien campé au-dessus de ma tête, je marchais d'un pas rapide vers la boutique, espérant rattraper mon retard. Le vieux a tendance à s'inquiéter pour moi, surtout les jours d'averses. En cela, il me fait penser à ma mère.

— J'étais inquiet pour vous *jeune homme*, avec toute cette pluie qui tombe… Il faut téléphoner si vous prévoyez être en retard…

En posant la main sur la poignée de porte, j'ai constaté qu'elle était verrouillée. L'enseigne *Fermé* que le vieux avait installée la veille avant de partir n'avait pas été retirée. C'était la première fois que j'arrivais avant lui. D'un côté, j'étais content, je pourrais le taquiner un peu :

— J'étais inquiet, il faut me téléphoner si vous prévoyez être en retard, dirais-je en empruntant le même ton bienveillant que lui.

Je me suis empressé de faire du rangement. Monsieur Suna aime bien que son capharnaüm ait un semblant d'ordre. C'est incroyable le fouillis que les clients peuvent créer en une seule journée. Pour moi, ils sont comme le vent. Ils soulèvent, déplacent et mélangent les objets sans discernement, me laissant le soin de les remettre en bon ordre. Je ne me plains pas de la nonchalance des clients, loin de là. Ça me permet d'amorcer ma journée en douceur, m'affairant patiemment à ranger leur bordel. Et puis, ce méli-mélo de denrées exotiques m'amène à faire des découvertes ; je trouve presque toujours un produit qui m'était jusque-là inconnu parmi les brebis égarées.

Une fois la boutique remise en état, j'ai commencé à remplir les bacs. Le vieux a mis en place un système à toute épreuve permettant à quiconque de se retrouver facilement. Les épices et aromates sont classés par ordre alphabétique. Absinthe, ail, aneth, bourrache, cannelle, cardamome, cumin, curcuma, gingembre, girofle, laurier, muscade, piment, poivre, safran, sarriette, vanille et ainsi de suite. Seuls les caris et les masalas sont rangés suivant une autre logique. Monsieur Suna les a placés par région, en partant des États-Unis jusqu'au Sri Lanka, ce qui constitue un vrai casse-tête pour qui ne connaît pas sa géographie. Il était presque dix heures lorsque j'ai regardé l'écran de mon cellulaire une première fois. Monsieur Suna n'était toujours pas arrivé. C'est là que j'ai commencé à m'inquiéter.

— Je peux vous aider ?

Le client semblait hésiter devant l'étagère des caris.

— Non, merci...

C'est souvent la même chose. A priori, les clients ne veulent pas qu'on les aide. Ma théorie est qu'ils craignent de se sentir obligés d'acheter le produit sur lequel je les aurai renseignés. Dès que je leur tourne le dos, ils sont rassurés et engagent la conversation.

— Excusez-moi, à quoi sert le cari noir ? m'a aussitôt demandé le client.

— Vous pouvez l'utiliser comme du poivre, pour agrémenter vos plats. C'est un mélange d'épices grillées très doux et aromatique. Sentez-le, ai-je ajouté en ouvrant le pot.

Les samedis matin sont toujours très occupés, les clients défilent, les uns à la suite des autres et parfois même en grappes comme des raisins. La vérité, c'est qu'ils flânent sur le trottoir et dès qu'ils voient quelqu'un entrer dans un commerce, ils emboîtent le pas, rassurés de ne pas être coincés en huis clos avec le marchand. Aujourd'hui, avec toute cette pluie qui tombe, la boutique semble être un arrêt obligatoire entre la boulangerie, plus bas, et la boucherie, une rue au nord. Mouillés du bas du dos jusqu'aux pieds, les gens entrent et secouent violemment leur parapluie sans faire attention. Au rythme où je dois aller éponger le plancher, j'ai cru mieux de garder la vadrouille derrière la caisse.

Heureusement pour moi, la plupart des clients savent ce qu'ils veulent et se servent directement. Les touristes – c'est ainsi que j'appelle les curieux – font le tour du magasin en pointant des articles. Ils en discutent lorsqu'ils sont en couple, s'attardent aux étiquettes lorsqu'ils sont seuls. Les mains vides et le sourire aux lèvres, ils ressortent en me félicitant pour la variété des produits. Je les accompagne d'un sourire aimable jusqu'à la porte et leur souhaite de passer une bonne journée, sachant à l'avance qu'ils reviendront. Ils reviennent toujours. C'est à cause des épices, elles les ont envoûtés, du moins c'est ce que je pense.

En l'absence du vieux, j'ai dû faire maints allers et retours entre la caisse et les rangées pour répondre aux questions et aux besoins des clients. À deux, nous arrivons sans peine à gérer la situation ; seul, c'est plus difficile. À quelques reprises, je suis allé chercher de la marchandise dans l'arrière-boutique en gardant un œil sur les individus que je jugeais suspects. Il y en a toujours un pour faire glisser subrepticement des produits dans ses poches, les plus coûteux généralement. Moi, je me dis que ce sont des malheureux ; le vieux les appelle des voleurs.

Lorsque j'ai entendu un client annoncer à sa copine qu'il était passé onze heures et qu'il fallait qu'ils se dépêchent, ça m'a donné froid dans le dos. Mais où donc était monsieur Suna ?

J'ai pensé qu'il avait, lui aussi, entendu l'interview de Justine à la radio. Connaissant son affection pour moi, je me suis dit qu'il avait appelé la station dès la fin de l'entretien pour arrêter sa course vers la sortie. À contrecœur, Justine avait accepté de le rencontrer dans un restaurant des environs.

Je les imaginais, assis l'un en face de l'autre, le vieux disséquant le cœur de ma belle à la recherche de la vérité. Justine s'agrippait à sa tasse de café, profitant de sa chaleur pour trouver un peu de réconfort, mais cherchant surtout à éviter le regard de monsieur Suna. Davantage convaincu que moi de ma valeur personnelle, le vieux faisait ce que je n'avais pas eu la volonté ni le courage de faire. Il la confrontait, exigeait une explication, essayait de comprendre. Il reviendrait vers moi écrasé sous le poids de la triste réalité, accablé de ne pouvoir porter à ma place le fardeau de la douleur infligée.

— Écrivez-lui, *jeune homme* !

L'idée des notes à Justine, c'était la sienne. Le lendemain du mariage de Maxime, je lui avais parlé de cette fille mélancolique dont les iris ressemblaient à des pastilles chocolatées. À compter de ce jour, Justine avait fait partie des histoires qu'on se racontait à la boutique. Monsieur Suna avait déjà aimé. « Une femme de la nuit de tous les possibles », je me disais. Lorsqu'il lui arrivait, rarement, d'évoquer leur rencontre, je sentais sa présence, j'entendais les plis de sa robe frôlant les tonneaux. J'imaginais son visage à l'ombre d'un léger voile, ses yeux soulignés au khôl, ses mains tatouées au henné. Je l'imaginais surtout mystérieusement belle.

Je sais que le vieux n'avait pas réagi de la même manière que moi quand il avait vu le vent aspirer la jupe brodée de la femme sur laquelle la porte se refermait. En fait, il n'avait rien dit. Il ne s'était pas fâché. Il avait plié, pour se redresser presque aussitôt. Il m'a avoué qu'il était tout simplement heureux d'avoir eu le privilège de croiser son chemin, heureux des souvenirs qu'elle lui avait laissés. La blessure était toujours là, comme une cicatrice dont on perçoit le renflement lorsqu'on caresse la peau, avait-il ajouté ce jour-là.

J'aurais aimé avoir la faculté d'accepter avec autant de grâce l'œuvre du destin. Peut-être à cause de mon jeune âge, de mon manque d'expérience, de ma naïveté profondément enracinée dans mon enfance, à cause de tout cela sans doute, j'ai plutôt mal réagi au départ de Justine.

J'avais beau m'imaginer monsieur Suna en train de convaincre Justine de son erreur, je savais qu'il ne croyait pas, lui non plus, à son retour. Il n'était donc pas attablé avec elle devant un café fumant. Il était où, alors ?

Après avoir additionné mentalement les heures de retard, soustrait les causes possibles de son absence et multiplié les risques que quelque chose de grave lui soit arrivé, j'ai commencé à paniquer pour de vrai. Je l'ai vu étendu sur le carrelage de sa salle de bain, le crâne fracassé par une mauvaise chute. Coincé entre la toilette et la baignoire, son corps épousait la forme d'un zigzag. L'image était trop dure pour moi ; j'ai ouvert tout grand les yeux pour la chasser.

Malheureusement, un autre scénario tout aussi pessimiste m'est spontanément venu à l'esprit. Couché dans son lit, en proie à un malaise cardiaque, monsieur Suna laissait échapper des gémissements étouffés entre ses lèvres asséchées, trop faibles pour que quiconque l'entende et lui vienne en aide. Cette vision du vieux ainsi alité, presque à l'agonie, a fait place au contour froid d'une civière dans le corridor anonyme d'une urgence bondée...

J'ai entendu l'autre jour un reportage à la radio, faisant état de formules mathématiques déterminant la valeur des êtres humains. Ainsi, lorsque le gouvernement décide d'investir, il peut le faire en toute connaissance de cause. La recherche pour un médicament qui sauvera plusieurs vies sera privilégiée au détriment d'un remède qui viendra en aide à quelques rares cas isolés. J'ai estimé rapidement le chiffre qui apparaîtrait au terme de cette équation sur le poids relatif de l'existence de monsieur Suna pour sentir ma panique grimper d'un cran.

« Bienvenue au service d'assistance annuaire de Vidéotron. *Welcome to Vidéotron directory assistance service. To continue in English, say English.* Quelle ville et quelle province ? » Après m'être rendu compte que je ne connaissais pas le numéro de téléphone personnel du vieux et avoir fouillé la boutique de fond en comble, j'ai décidé de mettre le service téléphonique à contribution. Malgré une recherche exhaustive, la fille n'a trouvé aucun Suna Şahenk dans Ville Saint-Laurent.

— Bonjour, avez-vous admis un homme âgé répondant au nom de Suna Şahenk ?

— Qui ?

Ce premier échec m'a amené à faire le tour des salles d'urgence. D'abord celle de l'hôpital du Sacré-Cœur, qui me semblait être la plus proche de chez lui, et puis de toutes les autres. Ça suintait l'exaspération au bout de la ligne. On voulait savoir qui j'étais par rapport à monsieur Şahenk. Je n'étais personne. Le gars de la boutique, celui qui vend et replace les épices, le type pour lequel le vieillard s'est pris d'affection et qui le lui rend bien. Je n'avais rien de solide pour justifier mes appels. Beaucoup de bons sentiments mais aucune relation filiale tamponnée dans un registre paroissial. À force d'insister, j'en ai quand même trouvé quelques-uns qui eurent la gentillesse d'aller vérifier les admissions pour me confirmer que le vieux n'était pas chez eux.

— Les aînés sont confus ; il va finir par donner signe de vie, ne vous inquiétez pas, m'avait répondu un extraterrestre avant de couper la communication.

Je m'inquiétais. Le vieux n'était pas confus. Il avait toute sa tête et probablement la moitié de celle d'un autre. Avec toutes ces histoires qu'il gardait en mémoire, il devait bien avoir une annexe à son cerveau. Je n'aurais pas été surpris que cette capacité supplémentaire ait été grugée dans la tête même de ce type qui osait porter un jugement sur l'état mental de monsieur Suna.

Je m'apprêtais à composer un nouveau numéro de téléphone lorsque j'ai remarqué qu'une fille aux joues mouchetées de taches de rousseur, avec des cheveux rouges et noirs, se tenait devant moi.

— Désolé, je ne vous avais pas vue… comment puis-je vous aider ?

— Je voudrais du piment fort, très fort, dit-elle en entrouvrant la bouche comme si elle avait déjà les muqueuses en feu.

« Une originale », j'ai pensé avant de me diriger vers l'étagère où sont rangés les piments.

— Vous connaissez le habanero ? Il cote 577 000 sur l'échelle de Scoville. L'échelle de Scoville, c'est comme l'échelle de Richter, mais pour les piments…

— Je sais…

— Alors le piment habanero serait comme un séisme de niveau neuf pour votre bouche, une méchante secousse sur les muqueuses, dis-je.

— Et celui-là ? elle a demandé en montrant les piments piquin.

— Dix, comme le habanero, mais le habanero a un goût plus fruité.

— Et celui-là ?

— Le Bhut Jolokia ? Imaginez un gars armé d'un lance-flamme qui vous asperge la bouche. Ce piment cote plus d'un million sur l'échelle Scoville, l'équivalant de vingt-huit sur l'échelle de Richter. Complètement dévastateur pour la bouche, les oreilles, le nez, la gorge et l'estomac. C'est comme une éruption volcanique accompagnée d'un tremblement de terre suivi d'une réplique ininterrompue de même magnitude, ai-je précisé pour qu'elle comprenne bien dans quoi elle s'embarquait.

Mon humour semblait l'amuser. Je me suis dit qu'elle rirait moins demain matin, lors de sa première visite aux toilettes.

— Je vous conseille le habanero, ai-je conclu pour lui sauver la vie, en la voyant hésiter. Vous pourrez toujours revenir acheter du Bhut Jolokia si vous êtes déçue.

Elle a tout pris : un sachet de habanero, un de piquin et un autre de Bhut Jolokia. Je l'ai regardée enfoncer ses paquets dans son sac à main. J'ai pensé qu'elle devait avoir un invité désagréable pour le souper. J'avais déjà mal aux tripes pour lui.

J'ai passé une partie de l'après-midi à tenter de repérer, sous les parapluies qui se bousculaient sur le trottoir, le pas hésitant de monsieur Suna. Aux heures, j'allumais la radio pour écouter les bulletins de nouvelles, craignant d'apprendre qu'un conducteur aveuglé par la pluie avait fauché une personne âgée. L'eau tue.

— Travaillez-vous ici ? m'a demandé un client, m'obligeant à me décoller le nez de la fenêtre.

J'ai déduit de son air exaspéré qu'il avait posé la question à plusieurs personnes avant d'être aiguillé dans ma direction. Je l'ai suivi entre les étagères. Irrité par mon manque d'intérêt pour les affaires de la boutique, il était parti sans rien acheter. Peu à peu, les clients ont disparu à sa suite et, à compter d'un certain moment, plus personne n'a franchi le seuil du magasin. J'ai rapidement fait le tour des étalages pour évaluer la somme de travail qui m'attendait le lendemain, dimanche. Il régnait le désordre habituel. J'ai passé la vadrouille une dernière fois avant de fermer la caisse et de mettre la clé dans la serrure.

J'avais laissé un mot sur le comptoir au cas où le vieux aurait l'idée de passer : *Je suis inquiet. Soyez gentil de me téléphoner pour me dire que tout va bien. Ne me refaites plus jamais cela... Oliver.*

La dernière phrase était un peu hardie, mais je savais qu'il comprendrait. C'était le genre de note qu'il m'aurait écrite si je m'étais conduit de la sorte et étais disparu brutalement. Tout ce que j'espérais, c'est qu'il ait la chance d'en prendre connaissance.

L'univers de Justine

En route vers chez moi, je me suis arrêté à l'abri d'un auvent, le temps de réfléchir à ce que j'avais réellement envie de faire de mon samedi soir. La pluie qui tombait m'incitait à louer un film et à rester bien au sec dans mon appartement. Mais je ne pouvais ignorer l'invitation de ma mère à passer la voir ; elle serait heureuse de me savoir en sécurité chez elle un soir de pluie. Finalement, je pensais à Maxime qui réunissait des amis chez lui. Il devenait de plus en plus difficile de trouver des excuses pour justifier mes absences répétées.

Je finissais de peser le pour et le contre de chaque option quand un vent violent a soulevé l'auvent, m'éclaboussant le visage d'une bonne giclée d'eau. Affolé, j'ai fait un bond à reculons, droit sur un objet métallique qui m'a heurté le dos. Je me suis retourné en agrippant instinctivement l'objet menaçant. Le mur devant moi s'est ouvert et je suis tombé en pleine face sur le plancher.

Je venais d'entrer dans une librairie. Un type qui en sortait avait ouvert la porte que j'avais prise, dans la panique, pour un mur. Il m'a gentiment aidé à me relever en se répandant en excuses. Je l'ai dégagé de toute responsabilité, prenant sur moi le blâme de ma chute spectaculaire. Pour me débarrasser des regards surpris, je me suis avancé d'un pas faussement nonchalant vers le centre du magasin.

Ici, j'étais dans l'univers de Justine. Non seulement Justine écrivait, mais elle était aussi une grande lectrice. C'est ce qui m'a le plus frappé lorsque je suis allé chez elle la première fois, la quantité phénoménale de livres dispersés un peu partout dans son appartement. Des dizaines d'ouvrages empilés sur le plancher de sa chambre, dans le salon et, comme une colonne de fourmis, des bouquins qui se suivaient à la queue leu leu le long du corridor menant à la cuisine.

— Mes amis, elle avait déclaré en ouvrant grand les bras.

— Tu en as beaucoup, tu les connais tous?

— Oui, sauf quelques-uns, ceux-là, là-bas, avait-elle précisé en désignant des livres sur une chaise. Mes futurs amis...

Je l'avais suivie en zigzaguant prudemment à travers les piles de livres en équilibre précaire. Justine déclinait des noms d'écrivains, des titres de romans, tissant des liens entre les récits et les auteurs. Elle me parlait de ses préférences et je me disais « quel gâchis ». J'imaginais des hommes abattant des forêts entières pour qu'elle puisse tourner une à une les pages d'un roman avant de le poser sur son plancher. Si, dans une autre vie, je devais être un arbre, je ne voudrais pas me faire scier le tronc et finir éparpillé aux quatre coins de la ville, entre deux couvertures de carton glacé sur des étagères poussiéreuses. Et encore moins à traîner sur un plancher parmi une forêt dévastée.

— Il t'arrive d'emprunter des livres à la bibliothèque? lui avais-je demandé.

Justine s'était retournée, les mains sur les hanches, braquant sur moi des yeux au reflet sombre d'un canon de pistolet.

— C'est ton petit côté vert qui parle? Tu penses aux arbres, c'est ça? Aux arbres qu'on détruit? Que je détruis? Et qu'en est-il des auteurs? Ils ne méritent pas de vivre, eux aussi? Et sans attendre ma réponse à sa première série de questions, elle avait enchaîné :

— As-tu déjà senti un livre de bibliothèque? C'est comme respirer des vieilles chaussettes sales, ça sent le renfermé et l'humidité de la cave. Y a-t-il quelque chose dans la vie pour lequel tu es incapable de faire de compromis? Quelque chose qui te tient à cœur plus que tout? Dont tu ne peux t'imaginer te passer? avait-elle demandé comme on afflige un dernier droit assassin à son adversaire dans le ring.

Sa question m'avait pris par surprise. Je comprenais qu'elle me parlait de passion, terme qui, je le découvrirais plus tard, est issu du latin *passio* et signifie souffrir ou endurer. Justine faisait référence à une émotion forte qui inspire, aveugle, dévore, trouble et tourmente. Une émotion qui fait qu'un être humain se sent transporté, habité, possédé. Non, je n'éprouvais pas de tels sentiments pour quoi que ce soit ni pour qui que ce soit. J'étais un être dépourvu de passion, voilà ce que j'étais.

— Pas vraiment, j'avais admis en ayant l'impression qu'il manquait à mon corps un organe vital.

— Non seulement je déteste l'odeur des livres de bibliothèque, avait-elle continué sans tenir compte de mon aveu, mais le simple fait de toucher un ouvrage qui a été consulté par des mains étrangères me dégoûte. J'y détecte le gras des doigts des autres sur la couverture, dans les notes biographiques, au coin de chaque page. C'est comme si mon amoureux m'avait trompée.

Elle avait poursuivi sans prendre le temps de respirer :

— Pour être vraiment sincère avec toi, de faire ainsi partie d'une cohorte de lecteurs me donnerait l'impression d'être une ouvrière sur une chaîne de montage... Toute l'intimité que je partage avec les personnages s'en trouverait entachée, cette sensation d'une relation exclusive avec l'auteur disparaîtrait.

— Je dois aller aux toilettes, l'avais-je interrompue, gêné d'avoir à exprimer une réalité aussi banale après un tel laïus, si inspiré et bien senti.

— Attends, avait lancé Justine en poussant une dernière porte au fond du couloir.

La pièce était remplie des livres déposés, rangés, classés, accotés, entassés tantôt sur des étagères fixées aux murs, tantôt sur des petites tables, ou simplement empilés par terre ou pressés dans des boîtes. Au centre, devant une fenêtre grande ouverte, un bureau sur lequel trônait un écran d'ordinateur et, tout autour, des feuilles que des presse-papiers empêchaient de voler au vent.

— Aah !

Un chat venait de se faufiler entre mes jambes.

— C'est Pablo, avait dit Justine en suivant l'animal des yeux.

— Wow ! m'étais-je exclamé en m'avançant au centre de la pièce. Tu as acheté tous ces livres ?

— Certains, pas tous. Plusieurs m'ont été donnés par des personnes qui voulaient s'en défaire. Je suis incapable de concevoir qu'on va détruire le travail d'un auteur. Certains bouquins n'ont même jamais été ouverts. Imagine tout l'amour que ces gens ont mis dans leur écriture pour voir leur livre finir au fond d'une poubelle...

— Tu es une sorte de famille d'accueil pour livres abandonnés, si je comprends bien ?

— Si on veut... Justine avait répondu froidement, ne sachant trop si ma remarque trahissait un jugement négatif.

— Tu arrives à t'y retrouver ?

— Pas vraiment. Je n'ai pas voulu placer les auteurs par ordre alphabétique, j'aurais eu l'impression de les priver de leur âme. Je les range plutôt par affinités. Je mets sur une même tablette ou dans une même pile les écrivains qui me semblent avoir des atomes crochus. Il m'arrive aussi de réunir dans un coin des auteurs qui ont vécu à des époques différentes ou qui ont des styles complètement opposés pour forcer la rencontre, le dialogue. Je trouve important qu'ils apprennent à se connaître, à s'apprécier mutuellement malgré leurs différences. Régulièrement, je change mes livres de place pour faire circuler l'énergie, sinon j'aurais l'impression d'être dans un cimetière, entourée de stèles, de morts. La nuit, je viens les écouter... les livres sont comme les arbres, ils communiquent entre eux...

— Il faut vraiment que j'aille aux toilettes, avais-je répété en me tortillant le bas du corps pour lui montrer que c'était sérieux.

En me dirigeant au pas de course vers la salle de bain, je m'étais dit que j'étais en train de tomber amoureux d'une folle.

Ce soir-là, Justine m'avait parlé de sa passion pour l'écriture. À cette époque, en plus de travailler occasionnellement à l'auberge, elle donnait un coup de main dans un café géré par un Italien. En fait, elle changeait d'emploi régulièrement. Il lui arrivait souvent de ne pas se lever après une nuit passée à écrire. Sinon, elle se fâchait avec le patron qui refusait de se plier aux caprices de son horaire. Autrement, elle cessait simplement de se présenter au boulot, estimant qu'elle y perdait son temps. Son instabilité professionnelle ne semblait guère l'inquiéter. Tout ce qu'elle souhaitait, c'était de trouver le mot juste pour l'insérer dans une phrase qu'elle jugeait parfaite. En attendant qu'elle finisse ce premier roman, sa sœur Émilie pourvoyait aux manques à gagner. Plus tard, j'allais faire de même avec mon maigre salaire.

Dans les premiers temps de notre relation, Justine avait mis de côté son livre pour être avec moi. Elle disait que de toute manière, l'un nourrissait l'autre. Sa vie amoureuse était source de créativité et le bonheur de créer enrichissait notre relation affective. Nous passions ainsi de longs moments à discuter, à cuisiner avec les épices que je rapportais de la boutique, à boire de la bière, à danser enlacés dans le salon et à nous aimer parmi les livres éparpillés, sous le regard indifférent de Pablo.

Un soir, je m'étais endormi avant qu'elle vienne me rejoindre. Le lendemain, au réveil, les draps avaient gardé son odeur, mais le martèlement des touches sur le clavier m'indiquait qu'elle était déjà devant son ordinateur. À compter de ce jour-là, Justine avait passé le plus clair de ses nuits à pianoter, à chercher ou à réfléchir. J'étais devenu orphelin d'auteur.

Certains matins, je la retrouvais complètement exaltée, les yeux brillants comme des diamants. Elle me donnait l'impression d'avoir grandi, pris de l'envergure ; qu'elle s'était transformée en quelqu'un d'autre. Le bonheur qui se lisait sur son visage lui donnait une présence quasi irréelle, la rendait terriblement belle et désirable. Elle lançait alors des chiffres comme les négociateurs passent des ordres sur le parquet de la bourse : « Quatre-vingts pages ! Vingt-quatre mille mots ! Quatre-vingt-quatorze pages ! Vingt-huit mille mots ! » Je savais qu'elle s'était donné pour objectif d'écrire un livre de cent cinquante pages, soit plus ou moins quarante-cinq mille mots. J'étais découragé, il lui restait des milliers de mots à écrire.

Je n'avais jamais fait attention aux mots avant de rencontrer Justine. J'en prononce des centaines chaque jour sans vraiment m'en rendre compte. Pour moi, les mots viennent en soutien à une idée. Ils forment un tout cohérent qui, articulé par ma voix, exprime ma pensée, énonce un désir ou sert à alimenter une réflexion.

À l'occasion, de nouveaux mots apparaissent dans mon vocabulaire. Et puis, il y a certains termes que je n'utilise plus, comme méthodes quantitatives de gestion. Ce concept faisait partie de mon quotidien lorsque j'étais à l'université. Maintenant que j'ai tourné le dos à l'administration, il ne m'est plus utile. Il y a aussi des centaines de termes qui me sont inconnus, je l'ai réalisé en travaillant à la boutique. Depuis, mon vocabulaire s'est enrichi de mots comme échelle de Scoville, garam masala et curcuma Alleppey.

Je n'ai jamais compté les mots ni même pensé à le faire. Je n'ai surtout jamais pensé que les auteurs, en plus d'inventer des histoires, devaient les écrire en ayant recours à un minimum de mots. Justine m'a dit un jour que les auteurs du XIXe siècle étaient payés au mot, ce qui explique en partie que leurs ouvrages étaient volumineux. Maintenant, ils reçoivent un certain pourcentage des revenus de vente, ce qui les incite à écrire davantage de livres comportant moins de mots.

— Imagine, dans *La comédie humaine*, Balzac prend plus de deux pages pour décrire les vêtements d'un groupe de paysans, près de 750 mots. Aujourd'hui, on s'attend à ce qu'une idée intéressante puisse s'exprimer en cent quarante caractères, avait-elle déploré en retirant d'une étagère quatre volumes joliment reliés.

J'ai fouillé dans sa bibliothèque pour vérifier sa thèse. J'ai trouvé des ouvrages de Zola, de Stendhal, d'Hugo et de Dostoïevski qui faisaient plus de cinq cents pages. J'ai compté une moyenne de trente-huit lignes par page et de dix mots par ligne pour un total frisant les cent quatre-vingt-dix mille mots. Pendant que j'alignais les chiffres, Justine me racontait qu'à cette époque où la télévision et le cinéma n'existaient pas, les écrivains devaient décrire longuement une scène pour que se dessine un tableau clair dans l'esprit des lecteurs. Et elle avait ajouté, manifestement triste, qu'à cette époque, les gens aimaient les mots. Pour l'auteur, c'était le plaisir de les chercher, de les choisir et de les offrir en bouquet ; pour le lecteur, celui de les recevoir en cadeau, de les découvrir et de les apprécier.

—Aujourd'hui, avec les ordinateurs, les cellulaires, les tablettes numériques et toutes ces images dont on nous mitraille à chaque nanoseconde, les auteurs doivent plutôt trouver rapidement le mot juste qui colle instantanément à l'imaginaire du lecteur. Les mots n'ont plus leur place, elle a conclu avant de replacer *La comédie humaine* dans la bibliothèque.

— Et toi ? Tu fais aussi comme ça ?

— Comme quoi ?

— Chercher des mots qui renvoient à des images qui parlent d'elles-mêmes ?

— Moi, je fais mon possible, avait-elle lancé avant de changer de sujet.

— Quatre-vingt-quatorze pages.

Elle avait déjà dit quatre-vingt-quatorze pages la veille et l'avant-veille. À moi, administrateur déchu qui ne comprenais pas comment une personne pouvait écrire huit heures par jour, deux jours de suite, et faire du surplace sur le plan statistique, Justine expliquait :

— Je réécris. Écrire, c'est surtout réécrire.

Si c'était déjà écrit, pourquoi recommencer ? Elle changeait un mot, puis un autre. Déplaçait un paragraphe. Détruisait une section entière et recommençait. Nous avons eu plusieurs discussions sur les exigences de l'écriture avant que je comprenne enfin qu'écrire veut dire fouiller, creuser, sarcler les idées, les souvenirs, les connaissances et même l'inconscient. En explorant ainsi le sous-sol de son esprit et les profondeurs de son âme, Justine trouvait parfois des trésors, mais il lui arrivait aussi de s'égarer. Ces pas perdus avaient donné naissance à des lignes de fiction qui devaient être modifiées, supprimées, remplacées ou, plus souvent, approfondies à nouveau.

Je m'imaginais sa tête pleine de labyrinthes tortueux. Des galeries dont il était pratiquement impossible de trouver la sortie. J'avais peur pour elle, peur qu'elle s'enfonce trop loin et s'égare définitivement. Je me disais qu'à force de chercher, elle finirait par se perdre. Perdre le fil de son histoire, se perdre dans son histoire. Mais comment lui exprimer mes inquiétudes sans la démotiver ou l'effaroucher ? Sa quête semblait la happer, brouillant les frontières de sa raison.

Elle ne voyait pas, ou refusait de voir, que dans son projet d'écriture, les périodes de découragement étaient plus fréquentes que les moments de grâce. Le doute plus profond que la confiance. L'inquiétude plus vive que l'optimisme. La peur mieux ancrée que l'assurance. J'ai souvent vu Justine dégringoler la pente comme les passagers d'un chariot de montagnes russes, les mains agrippées à la barre, la terreur collée au fond des yeux par crainte de dérailler, dans l'appréhension du prochain dénivelé et l'espoir d'arriver vivants en fin de course.

Je la retrouvais parfois assise par terre dans la salle de bain, derrière la porte fermée, adossée au calorifère bouillant. Elle avait traîné Pablo et des dizaines d'ouvrages qu'elle épluchait d'un œil attentif, analysant leur structure, identifiant les styles, faisant le décompte des rebondissements et des chutes. J'avais alors l'impression de surprendre une apprentie étudiant la création d'un célèbre couturier, tournant autour d'une robe de mousseline, la décousant ici et là pour s'en approprier le secret. Mais plus souvent qu'autrement, je la retrouvais juchée sur le comptoir de cuisine, fixant le vide par-delà la fenêtre qui donnait sur le mur de briques de l'immeuble voisin.

— Je suis nulle, je ne trouve pas les mots...

Elle passait des nuits entières sans dormir, cherchant à saisir les contours de cette histoire qui lui échappait telle une bouée portée toujours un peu plus au large par les vagues. Elle émergeait au petit matin, comme les mineurs sortent des entrailles de la terre, les yeux hagards, tentant de reconnaître les formes dans la lumière du jour naissant. La peau blafarde, les yeux rougis par la fatigue et les pleurs, la bouche sèche, elle maugréait des phrases inaudibles.

— Téléphone à l'auberge, dis-leur que je suis malade, marmonnait-elle en ramassant Pablo pour se diriger vers la chambre à coucher.

J'allais les rejoindre même si elle ne m'y avait pas expressément invité. Je la trouvais recroquevillée sous un amas de couvertures, le chat calé au creux de son ventre, et je sentais la froideur de son dos à travers les draps. Je me disais qu'elle était en train de mourir ou qu'elle était un peu morte cette nuit-là. Je l'enlaçais doucement.

— Tu vas y arriver, ma belle, ne t'inquiète pas.

Mes paroles rassurantes l'agressaient. Je savais qu'elle détestait ma sollicitude qui ne faisait que confirmer sa thèse. Elle n'y arriverait pas.

— Il me semble parfois approcher de la vérité, effleurer une compréhension fine des choses, être en contact avec des idées qui flottent quelque part en moi. Mais dès que ma conscience s'affine et devient plus vive, la porte se referme...

Elle faisait alors référence à *Barbe bleue*, à sa femme qui était entrée dans la pièce interdite pour y découvrir les corps des épouses précédentes accrochés au mur. Elle disait que les portes contre lesquelles elle butait devaient, elles aussi, cacher des cadavres.

— C'est pour ça que je ne suis incapable de les franchir, j'ai peur de ce que je vais trouver derrière.

Je l'écoutais parler et j'avais l'impression de m'entendre divaguer lorsque mon anxiété me faisait perdre le sens des réalités. Troublé, je renforçais mon étreinte. J'aurais voulu la sécuriser. L'éloigner du château de *Barbe bleue* et de ces métaphores malsaines. Elle se dégageait brutalement pour s'enfoncer plus profondément sous sa couette, tapie dans l'obscurité des couvertures avec Pablo pour seul réconfort. Ils formaient ainsi une boule compacte et réconfortante. Je restais quelque temps à côté d'eux par solidarité, mais je savais que j'étais de trop.

Il me venait alors l'image de personnes plongées dans le coma. On prétend qu'elles entendent les bruits autour d'eux. Qu'elles sentent la présence des êtres chers qui espèrent leur retour. Je me disais qu'il en allait de même pour Justine, égarée dans une forêt impénétrable. Ma présence se voulait rassurante : quelqu'un, à l'orée du bois, l'attendait.

Lorsque je sentais son souffle devenir régulier, je savais qu'elle avait enfin trouvé le sommeil et avec lui, la paix. Je me retirais doucement et partais travailler en lui laissant un dessin, parfois un cœur, ou bien une fleur ou encore un museau de chat aux longues moustaches. J'avais banni les mots qui se retournaient généralement contre moi après m'avoir ouvert le chemin de son cœur.

Justine me rappelait quelques heures plus tard pour s'excuser. Le soir, je la retrouvais souriante, détendue. Faussement détendue. J'aurais aimé qu'elle se détache un certain temps de son projet d'écriture. Qu'elle essaie d'avoir une vie normale, avec un horaire et un travail réguliers. C'était du bout des lèvres que j'essayais de l'influencer, sachant ce que je risquais. Pour rien au monde je n'aurais voulu la perdre, car même si notre relation évoluait au gré de ses crises, Justine était ce qui m'était arrivé de plus beau de ma courte existence.

J'étais littéralement fou d'elle. Lorsque je l'approchais, j'avais l'impression d'être un fil électrique que l'on branche. Son être m'électrisait. C'était une femme enflammée, rebelle, insouciante et insoumise. Une tornade d'émotions. En sa présence, j'avais le sentiment d'être pris en charge comme un enfant dans une colonie de vacances. Non pas qu'elle me maternait, mais son enthousiasme, sa fougue et son énergie nous emportaient dans un tourbillon étourdissant. Ensemble, nous ne formions qu'un, nous étions elle.

Et puis il y avait l'autre Justine, tout aussi intense, mais sombre. L'auteure qui se décourageait, qui doutait, qui cessait de croire. La Justine qui perdrait pied, refusait de se lever, de manger, de se peigner, de s'habiller, de se maquiller. Elle pouvait ruminer son malaise des jours durant, traînant son spleen dans les plis de sa robe de chambre, avant de rebondir et de redevenir l'autre partie d'elle-même. Dans ces moments-là, je devenais l'aîné, je m'installais aux commandes de nos vies et tentais de maintenir le bateau à flot, évitant qu'il dérive et s'échoue.

J'ignorais pourquoi je l'aimais tant, c'était un sentiment violent qui m'habitait entièrement et qui me dépassait. En fait, je crois que je l'aimais parce que je n'arrivais pas à la saisir, à comprendre exactement la personne qui se cachait derrière ses yeux chocolatés. Avec elle, j'allais toujours à la rencontre de l'inconnu. Elle était à la fois forte et faible, insouciance et torturée, enthousiaste et noire, amoureuse et indifférente. Aujourd'hui, lorsque je pense à elle, l'image d'un cheval sauvage me vient à l'esprit. Et en même temps, je sais que c'est faux. Personne n'était moins libre qu'elle.

J'ai entrevu les barreaux de sa prison un jour en arrivant à l'improviste chez elle. Je mourais d'envie de la voir. Je lui avais apporté une caissette de clémentines. Je me souviens de la date, c'était le 16 décembre 2009. Il y avait exactement quatre mois que nous nous fréquentions. Les clémentines, ce n'était pas un cadeau pour marquer la date, c'était simplement pour lui faire plaisir. Justine adore ces petits fruits qui se tiennent facilement dans la main et se laissent manger comme des bonbons. Je m'imaginais en train de les éplucher une après l'autre pour en faire glisser chaque quartier dans sa bouche entrouverte, entre deux baisers.

J'avais frappé avant d'ouvrir avec mon double de sa clé. Elle n'était pas venue à ma rencontre comme d'habitude. J'avais cru qu'elle écrivait dans son bureau. J'étais allé la rejoindre. Elle parlait avec quelqu'un. Le ton était dur. Il ne s'agissait manifestement pas d'une conversation agréable. Sur sa table de travail, les yeux grands ouverts, Pablo semblait aussi surpris que moi.

— Non, ce n'est pas comme ça que ça s'est passé…

— …

— Laissez-moi tranquille… je vous ai dit de me laisser tranquille…

— …

— J'ai fait ce que j'ai pu… Ce n'est pas de ma faute si elle est morte…

Justine n'avait pas remarqué ma présence. Debout, face à la fenêtre, elle était complètement absorbée par sa discussion. J'avais d'abord pensé qu'elle lisait à voix haute des passages de son livre, avant de me rendre compte qu'elle parlait librement, sans texte dans les mains. Je la sentais apeurée, inquiète, au bord de craquer.

— Ça va, ma belle ? avais-je demandé tout doucement.

Je l'avais fait sursauter. Elle s'était retournée et, lorsque nos yeux s'étaient croisés, j'avais compris qu'elle ne me reconnaissait pas. Elle cherchait dans sa mémoire où elle pouvait bien m'avoir déjà vu, se demandant probablement ce que je faisais dans son chez-soi.

— C'est moi, Oliver, j'avais eu envie de lui dire.

Puis, en une fraction de seconde, ses yeux avaient fait un aller-retour entre mon visage et la boîte de clémentines que je tenais toujours dans mes mains et, comme une lumière qu'on allume, sa figure s'était éclairée. Elle venait de me replacer.

— Ça va, ma belle? j'avais de nouveau interrogé.

— Oh! Oliver, c'est toi, avait-elle dit en se blottissant dans mes bras.

La tentation était forte de lui demander ce qui se passait. Avec qui elle discutait ainsi, aussi âprement. Mais je ne l'avais pas fait. J'avais pensé que c'était à elle de m'en parler.

Deux mois plus tard, en rentrant du travail, j'avais trouvé Justine sous la douche. Elle devait être là depuis un bon moment, car il n'y avait plus une goutte d'eau chaude dans le réservoir. Tout habillée, sous un torrent d'eau glacée, elle se tenait la tête à deux mains, le visage déformé par la douleur. Assis devant la porte, Pablo miaulait.

— Dis-leur de me laisser tranquille, fais-les taire... faire taire mes voix...

Après avoir fermé l'eau, j'étais allé la rejoindre dans la baignoire. Je l'avais enveloppée de serviettes pour ensuite la serrer très fort dans mes bras en espérant que mon étreinte suffirait à faire disparaître ses voix. Au début, elle s'était débattue. J'avais resserré mon étreinte pour la maîtriser.

— C'est fini, ma belle, il n'y a que nous deux ici... personne d'autre pour te parler dans ta tête... juste toi et moi... et Pablo, j'avais ajouté, espérant la faire rire.

Peu à peu, j'avais senti son corps se détendre. Elle avait finalement hissé ses bras autour de mon cou. Elle avait pleuré doucement, la tête sur mon épaule. Nous étions restés un long moment soudés par la triste réalité qui venait de nous rattraper et qu'on ne pourrait plus ignorer.

— Qui te parle dans ta tête, ma belle? avais-je osé lui demander pour la première fois.

— Un homme... je ne le connais pas... parfois ils sont deux...

— Il te dit quoi, cet homme ?

— Il dit que je n'ai pas pris soin de ma mère, il dit que si je l'avais aidée, elle ne serait pas morte... Il dit que je suis mauvaise...

Cette fois-là, j'avais eu le courage de lui suggérer d'aller voir un médecin.

— Ça va aller, avait-elle répondu en ramassant le chat pour enfouir son nez dans son pelage.

J'ignore si, à la suite de cet épisode, Justine avait rencontré un psychiatre, mais un changement notable s'était manifesté dans les semaines qui avaient suivi. Elle était radieuse, débordante d'énergie, confiante et très productive. Elle passait des journées entières à écrire. Elle pensait avoir une première version solide de son livre sous peu. Nous ne parlions jamais de ses bizarreries, de ses voix, de ses incohérences, de ses sautes d'humeur, de son instabilité émotive. Tout comme elle, j'étais incapable de reconnaître qu'elle était malade.

Une nuit avec Marie

J'étais donc entré sans le vouloir dans une librairie. Je m'apprêtais à en ressortir discrètement, maintenant que l'effet de surprise de mon entrée spectaculaire s'était estompé et que les clients étaient retournés à leur lecture, lorsque mon regard a été attiré par la page couverture d'un mensuel posé bien en vue sur un présentoir. *Istanbul* apparaissait en gros titre au-dessus d'une photo de la mosquée bleue. La ville de monsieur Suna, me suis-je dit avec un pincement au cœur.

Je suis allé prendre un exemplaire. Un article de plusieurs pages faisait l'éloge de la métropole turque. Des photos montrant des édifices de verre qui auraient pu aussi bien être à New York ou à Los Angeles s'étalaient sur deux pages. Les sous-titres parlaient d'économie, d'urbanisme et de métamorphose. Plus loin, on voyait la piscine ultramoderne d'un hôtel cinq étoiles, puis l'image d'un centre commercial, « le plus grand d'Europe », précisait le journaliste. Et enfin, une sculpture qu'on aurait pu confondre avec une pièce de moteur. Moi qui m'attendais à y voir des amoncellements de vieilles pierres et le visage chiffonné d'un commerçant assis derrière des montagnes de poudres colorées, j'étais déçu.

Exit Byzance, exit Constantinople. Et maintenant, exit Istanbul. La ville du vieux avait disparu, engloutie sous un amas de métal et de vitrages opaques pour le confort des touristes et la prospérité de la nouvelle génération de Stambouliotes. J'espérais que Monsieur Suna n'avait pas vu ces images, à des années-lumière des souvenirs qu'il chérissait. Ma propension au drame m'a aussitôt suggéré qu'il était effectivement tombé sur ce reportage et que son cœur avait cessé de battre, foudroyé par le modernisme. J'ai replacé la revue comme j'évite les ponts, pour chasser mes idées noires.

Attiré par un attroupement de filles, je me suis dirigé d'un pas léger vers la section consacrée aux revues. Finalement, j'irais voir ma mère, je lui apporterais un magazine féminin en cadeau. Je tentais de me faufiler entre les demoiselles avec l'étrange sentiment de pénétrer dans une penderie où les robes seraient pressées les unes contre les autres. Je m'excusais à l'avance de les déranger. Les belles exécutaient des mouvements imperceptibles du bassin, feignant de me laisser passer. Ma présence les gênait. Je devais leur donner l'impression d'avoir le nez dans leur tiroir, d'épier leur maquillage laissé à la traîne sur le comptoir de la salle de bain, voire de fouiller dans leur sac à main. Heureusement pour moi, j'ai rapidement repéré le *Paris Match*. J'en ai pris un exemplaire avant de rebrousser chemin, laissant la brèche se refermer derrière moi.

— Je peux vous aider ? m'a demandé une voix féminine alors que je cherchais le comptoir-caisse des yeux.

Surpris, je me suis retourné brusquement. J'ai fait sursauter la vendeuse qui a laissé échapper quelque chose par terre. Lorsque je me suis penché pour ramasser ce qui s'avérait être un livre, je suis tombé sur ses ongles d'orteils. Ils brillaient sous les néons comme de minuscules cerises. Les premières de la saison, les plus petites et les plus tendres. Des lattes de cuir noir s'entrecroisaient sur le dessus de ses pieds. Plus haut, les volants souples d'une jupe noire tranchaient avec le rouge d'un chandail qu'on aurait dit tissé directement sur son corps. Les ongles, le tricot, les lèvres étaient du même rouge et venaient contraster avec le noir des cheveux et des autres vêtements. Maladroitement je me suis relevé en la détaillant d'un œil charmé ; je l'avais embarrassée.

— Je peux vous aider ? a-t-elle répété.

— Non merci, j'ai répondu en évitant son regard.

— Alors, je vous souhaite une excellente soirée, a-t-elle conclu avant d'amorcer un demi-tour qui a fait chuinter ses sandales sur le plancher mouillé.

— Excusez-moi, vous n'auriez pas par hasard le livre de Justine Leblanc ? me suis-je surpris à lui demander.

— Tiens ? C'est bizarre... je viens tout juste d'en finir la lecture, s'est-elle exclamée en me faisant signe de la suivre.

Alors qu'elle croyait que je marchais sur ses pas, je me suis discrètement faufilé vers la sortie.

On se serait cru un 24 décembre juste avant la fermeture des magasins. Les gens se bousculaient à la porte. Certains tentaient de sortir alors qu'un nouveau contingent cherchait à entrer. À cette confusion s'ajoutait une dizaine de personnes qui s'étaient entassées sous l'auvent à l'abri de la pluie. Une fois la fourmilière traversée, j'ai spontanément glissé le *Paris Match* sous mon t-shirt pour le protéger de l'averse. C'est là que j'ai constaté que j'étais sorti sans payer.

Je m'apprêtais à retourner à l'intérieur, mais un regard jeté à la cohue m'en a vite dissuadé. Je me suis dit qu'au nombre de fois où des commerçants devaient s'être trompés en ma défaveur, mon inattention compensait. Ayant trouvé une excuse relativement valable pour justifier mon vol involontaire, j'eus la surprise de sentir une main se poser sur mon épaule.

— Monsieur, je pourrais voir la copie de votre facture s'il vous plaît ?

J'ai essayé de faire semblant de ne pas savoir de quoi parlait le type baraqué qui s'adressait à moi sur un ton autoritaire.

Mais mon air coupable devait sûrement me trahir. Ces gens-là ont l'habitude des voleurs qui se composent des mines hébétées pour masquer leur crime. Moi-même, je les reconnais facilement à la boutique.

— Désolé, j'ai complètement oublié de payer, dis-je en regardant la revue comme si je la voyais pour la première fois.

— Si vous voulez bien me suivre, a demandé l'agent en m'indiquant la porte de la librairie.

Je croyais en être quitte pour une explication humiliante devant la caissière, mais le type a pointé l'arrière du magasin d'un doigt impérieux. Il marchait sur mes talons, comme il avait dû le faire lorsque je me dirigeais innocemment vers la sortie. Arrivé au fond de la librairie, il est passé devant moi pour ouvrir une porte qui donnait sur une pièce sans fenêtre. Il m'a indiqué d'un coup de tête une chaise coincée derrière le bureau. Le temps de comprendre ce qui se passait, nous étions assis l'un en face de l'autre ; moi les mains sur les cuisses, lui les bras croisés. Il me braquait comme si j'étais un parasite. J'ignore pourquoi, mais j'ai senti qu'il me revenait de parler le premier :

— Désolé, je me rends compte que je suis parti sans payer, j'étais distrait. En fait, je n'étais pas venu pour acheter quoi que ce soit, alors j'ai complètement oublié que j'avais ramassé un magazine et...

— C'est votre premier vol à l'étalage ? a demandé le type sans me laisser le temps de terminer ma phrase.

— Je n'ai jamais rien volé de ma vie, ai-je répondu, offusqué, en cherchant dans ma mémoire si c'était effectivement vrai.

— Videz vos poches...

— Quoi ?

— C'est la routine, videz vos poches.

J'ai mis sur le bureau le peu de choses que contenaient mes poches. Le type y a jeté un coup d'œil rapide avant de retirer une grande feuille du tiroir.

— On va remplir un rapport, il a annoncé.

— Quel genre de rapport ?

— Le genre de rapport que si on vous surprend encore à voler, on appelle directement la police, il a dit en faisant tambouriner la pointe de son stylo sur le bureau. Nom et prénom...

L'agent de sécurité m'a raccompagné jusqu'à la caisse. J'ai cherché des yeux la jolie vendeuse en attendant de payer, j'espérais ne pas l'apercevoir. En fait, je souhaitais plutôt qu'elle ne remarque pas le gars qui s'était fait prendre à voler. Heureusement pour moi, elle n'était pas dans les environs. En sortant, j'ai vu une poubelle devant le magasin et j'y ai lancé le *Paris-Match*.

Malgré la pluie qui tombait dru, il y avait beaucoup de monde sur les trottoirs. Je cherchais un nouvel endroit où m'abriter lorsque j'ai repéré une cabine téléphonique. J'avais senti mon cellulaire vibrer sur ma cuisse pendant que le type me faisait la leçon. C'était ma mère, elle voulait connaître mes plans pour la soirée. Maxime m'avait envoyé un texto, il insistait pour que j'aille les rejoindre, lui et ses amis. J'avais juste une envie, rentrer chez moi. J'ai appelé Maxime pour lui dire que je soupais avec ma mère avant d'informer celle-ci que j'avais finalement décidé de passer la soirée chez Maxime. C'était plus simple de leur mentir que de leur avouer mon désir de rester seul.

Emporté par la cohue qui se bousculait sur le trottoir dans un enchevêtrement de parapluies ouverts, je me dirigeais d'instinct vers le club vidéo qui était devenu mon fidèle complice. J'avais vu plus de films au cours de la dernière année que durant toute ma vie avant Justine. La présence de tous ces inconnus dans mon salon, qui me côtoyaient sans me voir, me faisait du bien. Leurs histoires s'ajoutaient à celles que le vieux me racontait le jour, et ainsi juxtaposées, elles créaient un univers fantastique qui me permettait de prendre congé de ma tristesse. J'espérais que ces images avaient des facultés régénératrices et qu'un jour, j'émergerais de ces mondes imaginaires où tout finissait bien en allant mieux à mon tour.

— Salut Oliver! m'a interpellé le caissier du club dès qu'il m'a vu entrer.

— Je reviens, j'ai dit en faisant le tour du comptoir pour sortir aussitôt de l'autre côté.

Je venais d'apercevoir la vendeuse de la librairie dans l'allée centrale. Elle discutait avec un employé. Instinctivement, j'avais fui. « Réaction de coupable », ai-je aussitôt pensé. J'aurais pu aller vers elle et lui expliquer. Lui expliquer quoi, au juste? Je me suis posé la question. Qu'un livre me donne la frousse? Que j'ai peur de savoir ce que Justine a écrit sur elle, sur nous, sur moi? Que je suis terrifié à l'idée qu'après l'arrondi du point final, je serai définitivement sorti de sa vie, parce que de sa vie, je ne saurai plus rien? Je me voyais tenter de donner du sens à ce ragoût indigeste d'émotions pour le régurgiter à une inconnue, moi qui ai toutes les difficultés du monde à mettre de l'ordre dans mes propres pensées.

Et puis, la vendeuse connaissait déjà Justine et des fragments de notre histoire, puisqu'elle avait lu son livre.

— J'ai beaucoup aimé, avait-elle dit avant de se retourner, croyant que j'allais la suivre alors que j'avais déjà amorcé ma fuite vers la grande porte.

À l'heure qu'il était, elle en savait sûrement davantage sur Justine que moi. Elle possédait, en tout cas, la version finale des faits. La clé, si je pouvais m'exprimer ainsi, permettant de comprendre son départ. Justine n'avait pas cru bon de m'expliquer pourquoi elle mettait fin à notre relation, mais les raisons devaient être énoncées dans son récit. « L'écriture est un acte impudique », m'avait-elle confié un jour, me laissant sous-entendre que des éléments de notre vie privée deviendraient publics si son livre était édité un jour. Son histoire était désormais disponible dans « toutes les bonnes librairies », comme l'avait annoncé ce matin l'animateur. Ma mère, mes oncles et mes tantes, mes amis, les amis de mes amis, le vieux, s'il en était, tout le monde connaîtrait ce que je savais de Justine et apprendrait ce que j'ignorais. Ils pourraient aussi me découvrir à travers les yeux de Justine, tout comme la vendeuse l'avait fait. J'étais devenu un personnage secondaire de roman.

Je n'avais pas à m'expliquer ni à m'excuser, surtout pas auprès de cette fille à qui je ne devais rien. Dissimulé dans l'entrée du commerce faisant face au club vidéo, je la surveillais dans l'intervalle des affiches qui en tapissaient la vitrine. Elle avait fait quelques allers-retours entre la section des drames et celle des films internationaux. Finalement, je l'avais vue se placer au bout de la file menant aux caisses. Elle me faisait face sans me voir. J'avais hâte qu'elle quitte le club pour pouvoir à mon tour aller y faire mon choix et rentrer chez moi.

Elle avait ouvert son parapluie avant de reprendre sa route parmi les promeneurs. Je l'avais suivie des yeux pour m'assurer qu'elle ne revenait pas sur ses pas et, dès que j'avais eu la certitude que la voie était libre, j'avais traversé la rue au pas de course, me glissant entre les voitures immobilisées au feu rouge. J'ignore quels fils se sont touchés dans mon cerveau à ce moment-là, mais au lieu d'ouvrir la porte du club et de m'y engouffrer comme prévu, j'ai emboîté le pas à la vendeuse. Je répondais à une impulsion étrange, quelque chose me poussait à ne pas laisser disparaître cette fille dans la foule un soir de pluie.

Je la suivais de loin. Elle se faufilait entre les passants en balançant nonchalamment son parapluie, alors que moi, je m'accrochais désespérément au mien. J'ai pensé qu'elle devait être heureuse ; il n'y a que les gens heureux pour se déplacer avec autant de légèreté.

Avant de rencontrer Justine, j'étais régulièrement heureux, avec quelques passages à vide ici et là. Mes états d'âme étaient à l'image d'une ligne pointillée... Je crois pouvoir dire que les deux années passées avec elle ressemblaient à une ligne pleine ; j'avais été fabuleusement et constamment heureux. Depuis qu'elle m'a quitté, j'ai froid. Même sous le soleil, je frissonne. J'ignore si ma température corporelle a quelque chose à voir avec mon indice de bonheur, mais je suis allé consulter un médecin.

— J'ai toujours froid, lui ai-je avoué, les bras enroulés sur mon torse.

Il m'a enfoncé un thermomètre dans la bouche, le temps de vérifier ma pression et mon pouls, pour rapidement conclure que je n'avais rien. Il m'a demandé si j'avais perdu du poids récemment ; j'en avais perdu. Il m'a suggéré de m'habiller plus chaudement, m'assurant que ça passerait. Ça n'avait pas passé. La nuit comme le jour, l'été comme l'hiver, nu ou enveloppé dans mon duvet, j'ai froid.

Au coin de rue suivant, la vendeuse avait glissé sa main dans son sac pour en fouiller énergiquement le contenu. Je l'avais regardée décapuchonner son tube de rouge pour se retoucher les lèvres. Je me suis dit qu'elle devait avoir un rendez-vous galant pour se refaire ainsi une beauté en pleine rue sous l'averse.

— Hé chérie ! Viens prendre une bière avec moi…

Un itinérant passablement éméché venait de l'interpeller avant de lui emboîter le pas. Trempé jusqu'aux os, la démarche chancelante et la bouche épaisse, il lui déclamait son amour, les bras tendus vers elle comme un aveugle cherchant ses repères.

— Viens, ma belle, j'vais prendre soin de toi…

Les passants les croisaient dans une indifférence totale. Tapis sous leur parapluie, ils couraient, pressés d'arriver à destination.

— Hé chérie ! Viens prendre une bière avec moi…

L'itinérant venait de trouver une nouvelle chérie qui arrivait en sens inverse. À force de gesticuler et de se tortiller, il avait réussi à faire demi-tour. J'avais surveillé son manège un certain temps, convaincu qu'il allait basculer et se casser la figure. Il avait repris son chemin en dodinant, non sans m'avoir d'abord gratifié d'un clin d'œil complice. Lorsque je me suis finalement retourné, la vendeuse avait disparu.

J'ai tenté de reconnaître le ballant de son parapluie parmi ceux qui s'étalaient au loin, mais en vain. Je me suis risqué à scruter l'intérieur des boutiques longeant la rue, mais elle n'était nulle part. Après un premier sentiment de déception, je me suis dit que c'était mieux ainsi. J'ignorais pourquoi je l'avais suivie; je n'aurais su trouver les mots pour l'aborder si l'occasion s'était présentée.

Lorsque je me suis enfin décidé à faire demi-tour pour retourner au club vidéo, je l'ai aperçue. Elle se tenait à quelques mètres derrière moi. Elle se débattait avec son parapluie que le vent s'efforçait de lui arracher, tout en essayant de retenir un carton de lait qu'elle avait glissé sous son bras. Je suis allé vers elle et j'ai spontanément fait basculer mon parapluie au-dessus de sa jolie tête.

— Merci, c'est très gentil, dit-elle avant de lever les yeux vers moi pour me toiser d'un regard surpris.

— Tu n'es pas le type de la librairie? a-t-elle ajouté, perplexe.

Elle était encore plus belle que dans le magasin. Peut-être était-ce l'effet de l'humidité qui faisait frisotter sa chevelure ou les fossettes qui avaient creusé ses pommettes lorsqu'elle avait esquissé un sourire amical, aussitôt perdu quand elle m'a reconnu.

— Oui, c'est moi, ai-je bêtement avoué.

— Tu demeures dans le coin? m'a-t-elle demandé en cherchant à comprendre ce que je faisais là, planté devant elle.

— Juste à côté, j'ai à peine menti.

— Ça t'arrive souvent de disparaître comme ça?

Elle avait parlé si vite que je n'avais pas bien saisi sa question. M'avait-elle demandé s'il m'arrivait souvent de disparaître, ou bien d'apparaître, subitement? Les deux hypothèses méritaient une explication. Dans le doute, j'ai plutôt choisi de me justifier :

— Ce n'est pas un bon jour...

— Ça faisait un moment que je parlais toute seule quand j'ai vu que tu ne me suivais pas.

— ...

— C'était ma première journée à la librairie. J'ai passé des heures à chercher des livres que personne ne voulait, finalement. Tu étais mon dernier client...

— ...

— J'étais tellement contente lorsque tu as prononcé le nom de Justine Leblanc, c'est le seul ouvrage qu'on m'a demandé et que j'avais déjà lu... Je t'en faisais la critique quand tu t'es évaporé...

— Des histoires comme celle-là, je pourrais t'en raconter des tonnes, je travaille dans une boutique d'épices, ai-je dit pour lui montrer que je savais de quoi elle parlait lorsqu'elle évoquait les clients ingrats. Je suis sincèrement désolé, j'ai ajouté en guise d'excuse.

— Une boutique d'épices? Je viens de comprendre, tu es l'amoureux de Justine Leblanc! a-t-elle lancé, les yeux brillants.

Après, il y a eu un long silence confirmant que j'étais bien le gars dont il était question dans le récit de Justine. La vendeuse a dû sentir mon malaise, car elle a habilement manœuvré pour changer de sujet et m'amener sur un territoire où j'étais parfaitement à l'aise, le monde des épices. Nous sommes restés un moment à parler d'arômes et de pays exotiques, à échanger sur nos goûts respectifs.

— Je dois aller promener mon chien, elle m'a annoncé en regardant l'heure à sa montre.

Elle m'avait pris de court. Je n'avais pas pensé à cela, au fait que notre tête-à-tête impromptu sous la pluie allait inévitablement prendre fin. Je cherchais à définir ce que je voulais lorsqu'elle m'a lancé son invitation.

— As-tu envie de venir avec moi?

Je l'ai suivie.

Le chien était un gros toutou qui répondait au nom d'Achille parce que Marie, dont j'avais appris le prénom entretemps, tenait

UNE NUIT AVEC MARIE

à se rappeler que dans la vie, nous avons tous une vulnérabilité avec laquelle il faut composer. Elle n'a pas voulu me révéler son point faible, alors j'ai tu le mien.

Nous nous sommes promenés un moment sous nos parapluies respectifs, au gré de son quadrupède qui reniflait tous les troncs d'arbre avant de décider lequel aurait le privilège de recevoir ses offrandes. Je laissais le soin à sa propriétaire de collectionner les boulettes malodorantes en évitant d'observer l'opération qui ne cadrait pas avec le chic émanant d'elle.

Ce soir-là, j'ai appris que Marie était une Montagnaise du Lac-Saint-Jean. Installée à Montréal depuis quatre ans, elle avait emmené Achille avec elle comme on garde avec soi un bon souvenir. Passionnée de coutumes ancestrales, de légendes et d'objets anciens, elle étudiait l'anthropologie à l'Université de Montréal. Je me suis rappelé mes fausses attentes quant aux perspectives d'emploi en administration. Sans trop y penser mais en me doutant bien de sa réplique, je lui ai demandé si les débouchés étaient nombreux dans sa discipline.

— Je veux contribuer à garder vivante la mémoire de mon peuple, je trouverai bien une façon, m'a-t-elle répondu, confiante.

J'étais impressionné par cette fille qui assumait pleinement son désir de perpétuer six mille ans d'histoire alors que moi, je me sentais coupable de ne pouvoir oublier les années passées avec Justine. J'aimais l'horizon temporel qui se dressait devant elle lorsqu'elle regardait en arrière. J'étais certain qu'elle respirait mieux que moi, comme sur la cime d'une montagne, tandis que moi, je cherchais mon air tel un plongeur en apnée.

J'ai tout de suite eu envie de lui parler de mes racines, amputées dès l'enfance par la mort prématurée de mon père ; de ma mère qui vivait un pied dans le passé ; du vieux qui n'avait pour mémoire que le Moyen-Âge et l'époque des grands explorateurs ; de mon ami Maxime qui espérait assurer son futur avec l'achat d'un bungalow en banlieue.

Nous étions parvenus à parler de tout en évitant soigneusement d'aborder le délicat sujet du livre de Justine.

Achille nous avait ramenés à la maison. À l'abri de la pluie, sous le balcon, nous tentions de trouver une façon élégante de nous dire au revoir sans rien nous promettre. C'était, du moins, mon impression. Je crois que j'aurais aimé la revoir, mais je ne savais pas si j'étais prêt à m'investir dans une « autre relation », comme m'avait souvent invité à le faire ma mère. Le mieux pour moi était de remettre la décision à plus tard. La question était de savoir si je voulais ou pas lui demander son numéro de téléphone. Si elle me le confiait et que je ne lui donnais aucun signe de vie, je risquais de la blesser. Instinctivement, j'ai sorti mon cellulaire pour regarder l'heure et feindre la surprise avant d'annoncer que je devais rentrer lorsqu'elle m'a pris de court une fois de plus.

— As-tu faim ? J'ai cuisiné un bœuf aux légumes hier soir, elle a demandé en évitant de justesse mon regard étonné.

Nous avons posé nos parapluies trempés dans un coin de l'entrée et nos chaussures sur un petit tapis. Après avoir allumé quelques lampes qui laissaient malgré tout le salon dans la pénombre, Marie a disparu au fond du couloir, suivie par son chien qui balayait allègrement l'air de sa queue. J'ai fait le tour de la pièce en attendant qu'ils reviennent.

Une armoire antique était adossée au grand mur. Les portes entrouvertes laissaient deviner un téléviseur, un système de son et des piles de disques compacts. Des revues formaient un bloc monolithique sur la table basse, face au divan. Joliment agencés sur le mur, au-dessus du meuble, une dizaine de cadres où des gens de différent âge affichaient un sourire radieux.

Sur l'autre mur, une reproduction qui, au premier coup d'œil, ressemblait à un vaste désert dont les roues d'une jeep auraient zébré le sable. En m'approchant, j'ai vu qu'il s'agissait du dos d'un indigène, un membre de la tribu Karo dans la vallée de la rivière Omo, précisait la légende. Les motifs avaient été peints sur sa peau, du moins c'est ce que j'espérais. Dans un coin, sous une lampe de travail éteinte, un ordinateur, des tas de livres et de papiers empilés sur un meuble IKEA. Un rideau de couleur bordeaux couvrait le mur du fond. Il devait cacher la fenêtre et la porte du balcon que j'avais aperçues de l'extérieur.

Marie était revenue avec deux bières et un bol d'amandes au tamarin, « en attendant que le souper soit prêt », annonça-t-elle avant d'ajouter :

— Tu veux visiter ?

Son appartement était décoré sobrement mais avec goût. Après avoir passé discrètement la tête dans l'entrebâillement des quatre portes que comptait son logis, nous nous sommes installés avec nos bières dans la cuisine pendant que le bœuf finissait de réchauffer. La table avait été mise pour trois personnes. J'ai d'abord pensé que le chien allait se joindre à nous avant de réaliser que c'était ridicule, Marie ne laisserait pas son animal laper son assiette, attablé avec nous. J'espérais qu'elle ne me ferait pas le coup du petit ami qui arrive à la dernière minute.

— C'est pour qui le troisième couvert ? ai-je demandé d'un ton faussement désintéressé pour meubler le silence qui venait de s'installer.

— C'est pour Justine…

Dans cet appartement douillet qui sentait bon les légumes, où la pluie léchait doucement les carreaux des fenêtres, sous la lumière tamisée du plafonnier qui transformait notre présence en ombres, assis devant cette fille qui avait nommé son chien Achille, j'ai explosé. Les mots se sont mis à se bousculer dans ma bouche comme une rivière dont les digues auraient été emportées par la crue des eaux. À partir de là, Marie n'a presque plus rien dit. Elle répétait parfois un de mes mots, se risquait à compléter une phrase, à me chuchoter une question. L'instant était fragile et le charme pouvait être rompu à tout moment. Il ne s'est pas brisé et cette nuit-là, je me suis effondré comme un château de cartes.

Le soleil n'allait pas tarder à se lever lorsque Marie a déposé un oreiller sur le bras du divan et une couverture sur ses coussins. Je me suis endormi ivre de chagrin, assommé par les mots, apeuré par la vérité. C'est l'odeur d'Achille qui m'a réveillé. Une senteur acre qui a probablement bombardé mon cerveau d'informations : odeur, épices, boutique, le vieux, disparition.

La porte de la chambre à coucher était fermée. Marie dormait. Je suis passé directement à la salle de bain. Le miroir m'a renvoyé l'image de ces héros de films westerns qui mettent pied à terre après des mois de cavale. J'avais mal à la tête, aux yeux, au cœur. J'avais mal partout, en fait.

Sur la table de la cuisine, Marie avait déposé son exemplaire du livre de Justine. Elle m'avait offert de le garder lorsque nous nous étions laissés à l'aube. Je crois ne pas avoir réagi à ce moment-là. *Prends soin de toi, Marie*, avait-elle écrit sur un bout de papier posé dessus. J'ai simplement ajouté *Merci*. J'aurais aimé être plus loquace, écrire *À bientôt*, ou *Téléphone-moi*, en lui griffonnant mon numéro de cellulaire, mais je ne l'ai pas fait. Je ne savais pas où j'allais, mais je savais que je devais y aller seul.

La première chose que j'ai remarquée en sortant, c'est qu'il avait cessé de pleuvoir. Le ciel était encore lourd de nuages ; difficile de dire si on en avait fini avec toute cette pluie ou s'il s'agissait d'une simple accalmie.

Le silence de la rivière

Le réveil marquait six heures cinquante-six lorsque je suis rentré chez moi. J'arrivais juste à temps pour entendre sa sonnerie. Je ne savais que penser de cette soirée, de Marie, des confidences partagées. Je cherchais à donner un sens à cette rencontre quand je me suis rendu compte que j'avais une autre urgence à traiter : retrouver le vieux. J'ai pris ma douche et suis parti sans même déjeuner.

Je marchais d'un pas pressé vers la boutique, impatient de mettre en œuvre mon plan d'urgence. En premier lieu, j'irais interroger le propriétaire du commerce jouxtant le nôtre ; c'était une connaissance de longue date de monsieur Suna, peut-être avait-il son numéro de téléphone personnel. Si cette avenue s'avérait un cul-de-sac, je ferais encore la tournée téléphonique des salles d'urgence, en me présentant cette fois comme le fils de monsieur Suna. Avec un tel prétexte et après vingt-quatre heures d'absence, les préposés prendraient sûrement mes appels au secours plus au sérieux. Je cherchais la clé de la boutique au fond de ma poche lorsque la porte s'est ouverte d'elle-même. Radieux, le vieux me regardait d'un air incrédule.

— Vous êtes donc bien matinal, *jeune homme* !

Derrière lui se tenait un autre vieux, avec les mêmes yeux perçants, son frère. J'avais complètement oublié qu'il était de passage à Montréal.

— Je laisse la boutique à vos bons soins, *jeune homme*, tentez de ne pas effaroucher la clientèle... m'avait-il prévenu l'avant-veille, en plaçant la pancarte *Fermé* dans la fenêtre.

Monsieur Suna m'avait bien dit qu'il comptait prendre une journée de congé pour être avec son frère. Comment avais-je pu l'oublier ? À cause de Justine, bien entendu, et de la parution de son livre. Et aussi à cause de toute cette pluie qui m'avait poussé dans mes derniers retranchements. Hier, j'étais un animal traqué. Je l'avais peut-être aussi inconsciemment mis à mort pour le punir de m'avoir abandonné à un moment où j'avais besoin de lui. Depuis le départ de Justine, j'entretiens un rapport malsain avec l'absence.

— C'est quoi cette note ? m'a demandé le vieux en agitant la feuille sur laquelle je l'avais sermonné.

— Ce n'est rien, ai-je répondu en attrapant et en chiffonnant le bout de papier.

Comme tous les matins, j'ai consacré la première heure de la journée à remettre de l'ordre dans la boutique. Le vieux s'était installé derrière le comptoir. Il faisait ses comptes. Son cadet, sagement assis à ses côtés, le regardait faire. Monsieur Suna adorait ce frère dont le dos courbé semblait en passe de le précipiter sous terre prématurément. Il savait que son aîné m'aimait bien, qu'il prévoyait me financer pour que je puisse racheter son commerce le moment venu. Et moi, j'aimais le vieux qui était bien plus qu'un patron pour moi, il était un père, un frère, un ami, un complice, une seconde mère et quoi d'autre encore ? Et par affiliation, j'aimais aussi ce frère que je ne connaissais pas. C'est dire que l'atmosphère était légère en ce dimanche matin de septembre où les seuls clients qui pénétraient dans le magasin étaient ceux que la ville avait gardés prisonniers en ce long week-end de la fête du Travail.

Le temps s'étirait comme un long cordon de tire Sainte-Catherine, collant et filamenteux. Il me semblait entendre tomber les aiguilles de l'horloge fixée au mur de l'arrière-boutique. Je cherchais la cannelle parmi les commandes reçues la semaine précédente. Ni monsieur Suna ni moi ne sommes très doués pour le rangement. Lorsque les épices nous sont livrées, nous entassons les boîtes et les sacs dans un coin en attendant le jour où nous en aurons besoin. Parfois, l'odeur nous guide, mais le plus souvent, le pot-pourri de parfums nous oblige à une recherche laborieuse. La cannelle se trouvait derrière les sacs d'origan.

J'ai sorti mon couteau de poche pour tracer une belle ligne droite dans le ruban adhésif qui retenait les battants du carton. Le puissant parfum de la cannelle m'a aussitôt sauté au nez et du même coup m'est venue l'assurance de ce que j'avais à faire.

— Je pars, ai-je annoncé au vieux, la boîte de cannelle sous le bras. Je serai là mardi, j'ai ajouté avant de fermer la porte derrière moi. J'aurais aimé lui en dire plus, mais le temps me manquait.

— Vous partez? il a lancé dans un écho en se tournant vers son frère comme s'il s'attendait à ce que ce dernier lui fournisse une quelconque explication à mon départ précipité.

Une fois chez moi, j'ai jeté quelques effets personnels dans mon sac à dos avant de passer acheter un rouleau de fil de fer à la quincaillerie, puis de me rendre chez ma mère. Elle travaillait dans son jardin lorsque je suis arrivé.

— Quelle pluie! Trente et une heures sans arrêt, elle m'a annoncé d'un air découragé. Comment vas-tu?

— Ça va, je viens te saluer, je pars retrouver Justine, ai-je dit en prenant soin de bien peser mes mots.

Je ne sais pas si c'est la sueur qu'elle essuyait de son front avec son gant taché de terre ou si elle faisait n'importe quoi pour éviter de pleurer, toujours est-il qu'elle était en train de se noircir le visage.

— Tu vas être toute sale maman, j'ai fait en écartant sa main pour nettoyer son front sur lequel étaient apparues depuis quelques années de belles lignes de vie.

— Un simple aller-retour, ai-je ajouté pour la rassurer. Je reviens demain.

Avant même que le premier sanglot ne lui monte à la gorge, je l'ai prise dans mes bras. Je l'ai serrée très fort, comme elle le faisait avec moi pour me consoler quand j'étais petit. Je sentais son corps tressaillir, on aurait dit un léger tremblement de terre.

— Ne pleure pas, c'est pour le mieux.

— Quand pars-tu ? elle a demandé d'une voix éteinte.

— Tout de suite, ai-je répondu en l'enlaçant encore plus fort pour étouffer son prochain sanglot. Tu as du fil à coudre ?

— Du fil à coudre ? Tu as quelque chose à repriser ? Je peux t'aider ? m'a-t-elle offert en se détachant de moi pour m'interroger des yeux.

— Non maman, juste du fil, s'il te plait…

Je l'ai suivie dans son appartement pour aller choisir, parmi une vingtaine de rouleaux jetés pêle-mêle dans une boîte à chaussures, une bobine de fil rose qui me semblait plus épais que les autres.

— Sois prudent. Tu veux que j'aille avec toi ?

Pour toute réponse, je l'ai regardée d'un air éloquent. Elle m'a fait la bise et nous sommes restés enlacés un long moment. À ce point-là, il n'était plus possible de distinguer l'adulte de l'enfant, de dire qui consolait l'autre.

— Laisse ton cellulaire allumé, elle a crié alors que je m'engouffrais dans ma voiture.

Lorsque je suis entré dans la station-service pour payer mon plein d'essence, j'ai acheté une carte routière du Québec. Outre le fait qu'il se situait dans la grande région du Saguenay-Lac-Saint-Jean, je ne savais pas grand-chose du village de Rivière-Éternité. J'aurais pu m'imprimer un itinéraire *Google Maps*, mais j'avais envie d'une carte qui se déplie comme un accordéon. Cette grande feuille de papier encombrante me rappelait mes vacances avec ma mère. Année après année, aux premières belles journées du printemps, elle étalait une carte comme celle-ci sur la table de la cuisine.

— On va où cet été? elle me demandait, comme si j'avais la réponse.

Elle voulait me montrer que j'étais devenu un grand, presque un homme, déjà en âge de prendre des décisions et de donner des directives. Même si son jeu n'était pas très subtil, je lui en étais reconnaissant. Je me penchais alors sur la carte mouchetée de taches vertes et bleues, quadrillée de lignes noires et rouges, et je faisais semblant d'hésiter.

Je finissais par poser mon index sur un espace vert, le plus loin possible du fleuve. Ma mère considérait mon choix d'un air critique avant d'y aller de ses commentaires. Elle était coincée entre son désir de me donner toute la latitude à laquelle j'avais prétendument droit et les facteurs de réalité dont elle devait tenir compte. Après quelques échanges plus ou moins utiles, nous finissions par décider d'un parc où nous irions planter notre tente pour une petite semaine.

— Pilote à copilote, lançait-elle, en même temps que le moteur, le jour du départ.

Je manipulais avec soin la carte routière dépliée sur mes genoux, espérant pouvoir lui redonner sa forme originale une fois de retour à la maison. Filant sur les routes du Québec, je passais les heures suivantes à guider cette femme qui savait plus que moi où elle allait.

J'avais rejoint l'autoroute 40 en direction de Québec. Je conduisais en pensant à Marie. Au fait que sans cette rencontre, je ne serais pas en route pour Rivière-Éternité. À Justine que j'allais enfin retrouver. À ma mère qui devait se faire du mauvais sang. Au vieux qui n'était peut-être pas encore revenu de sa surprise. À Maxime que je ne mettais pas dans le coup pour la première fois. Et, évidemment, je pensais à ce pont que j'allais être obligé de traverser dans moins de dix kilomètres.

De toutes les issues de Montréal, c'est le pont Charles-De Gaulle qui offre la traversée la plus accommodante, compte tenu de ma phobie. Il n'est pas très haut, pas très long et assez large, de sorte que j'arrive habituellement à le franchir avant que l'anxiété m'envahisse complètement, pourvu que je l'emprunte en dehors des heures de pointe, bien entendu. Afin de me changer les idées, j'avais allumé la radio.

J'essayais de me concentrer sur les paroles de la chanson. Je trouvais que l'auteur ne s'était pas donné beaucoup de peine. J'arrivais à deviner les paroles avant même qu'il ne les prononce. Il me suffisait de choisir le premier mot qui me venait à l'esprit et qui rimait avec le dernier de la phrase précédente. Sa chanson n'éveillait aucune émotion chez moi. « Il n'a pas plongé », me suis-je dit.

— Pour créer des œuvres qui touchent les gens, il faut avoir des défenses souples et un moi fort, m'avait dit Justine.

Peu doué en sciences humaines, j'avais demandé une explication.

— La seule façon de toucher les gens, c'est de les rejoindre dans ce qu'ils ont de plus intime. Pour y arriver, les auteurs doivent être capables de percer leurs propres secrets. Lorsque tu lis une phrase qui te donne l'impression que tu aurais pu l'écrire, tellement elle est vraie, c'est qu'elle aborde un thème universel. Ces vérités sont comme des perles de sens qui dorment au fond de nous. Pour les cueillir, il faut plonger. Cette plongée exige de traverser des mécanismes de défense qui agissent comme des barrières de sécurité pour nous empêcher de voir ce qu'on préférerait oublier... Tu sais, les portes dont je t'ai déjà parlé... Les artistes qui ont des mécanismes de défense souples arrivent à traverser ces barrières et à ramener des perles à la surface...

— Et le moi fort, c'est quoi ?

— Une fois en bas, il faut être en mesure de remonter. Le moi fort, c'est comme une ligne de survie, une sorte de grosse main qui te ramène à la surface... Ceux qui n'ont pas cette grosse main restent pris en bas, ils s'enlisent dans le sable mouvant. Ils deviennent fous, avait-elle conclu en haussant les épaules.

Je me demandais si ce n'était pas cela, son drame, cette grosse patte qui l'avait laissée tomber au dernier moment comme la pince mécanique d'une machine attrape-peluche. En tout cas, le type qui chantait à la radio ne s'était pas mis à risque, lui. Justine avait plongé, elle était allée au plus profond d'elle-même pour saisir le sens des choses et le ramener à la surface.

Une fois le pont traversé et en sécurité sur la terre ferme, j'ai éteint la radio. J'essayais d'imaginer mes retrouvailles avec Justine. Je pensais à ce que j'avais envie de lui dire. Je réfléchissais aussi à ma vie après elle, lorsque je serais de retour à Montréal. À quel genre d'homme j'allais devenir. Est-ce que mon passage sur terre serait divisé en deux comme ces grands pans de l'histoire des arts, impressionnisme et postimpressionnisme ; des sociétés industrielle et postindustrielle ; de l'humanité avant et après Jésus-Christ ? Est-ce que j'allais parler de moi en distinguant l'avant et l'après Justine ? Avant la rencontre et après la perte de Justine Leblanc ?

Est-ce qu'un jour j'arriverais à m'attacher à une autre femme ? Sûrement. Est-ce que je pourrais lui faire confiance en étant sûr que ce serait moi qu'elle choisirait toujours, à tout coup ? Oliver ou l'éditeur ? Oliver ! Oliver ou l'écriture ? Oliver ! Oliver ou la fuite ? Oliver ! Je ne crois pas. Plus maintenant. J'étais dans ma période post-Justine.

Jusqu'à son départ, j'avais entretenu une conception erronée de l'amour. Par la faute de ma mère, bien entendu. À cause de la passion dévorante qu'elle nourrissait encore aujourd'hui pour mon père disparu. De cette manière qu'elle avait de parler de lui, d'eux comme s'ils formaient toujours un couple uni. Mais aussi à cause de tous ces films dont elle m'avait gavé depuis le berceau :

Autant en emporte le vent, Casablanca, Le Docteur Jivago, La magie du destin, Sur la route de Madison, Souvenirs d'Afrique, N'oublie jamais, Les pages de notre amour... Ces films ne faisaient que confirmer ce que ma mère n'avait jamais cessé de croire : l'amour est éternel. À cause d'elle, de sa relation mythique avec mon père et de toutes ces chimères du septième art, j'avais donné un sens démesuré aux « je t'aime » de Justine. C'était pour moi immensément plus que de simples mots d'amour, c'était un engagement, un serment : la promesse de m'aimer toujours.

Lorsqu'elle est partie, non seulement j'ai perdu la femme que j'aimais, mais ma conception de l'amour a été cruellement secouée. C'est comme si les murs de ma maison s'étaient effondrés et que je devais la reconstruire sans plan ni références, ni outils. À la limite, sans matériaux.

Ma mère a fait de moi un être profondément idéaliste, un romantique, un Néandertal de l'amour. Je n'oserais pas le lui dire, de crainte de la blesser, mais je trouve qu'elle n'a pas été un très bon modèle au chapitre des relations amoureuses. Mais y a-t-il quelque chose de plus important, dans la vie, que l'amour ?

À force de va-et-vient émotionnels entre Justine et ma mère, j'étais arrivé aux abords de Québec. Deux routes menaient à Rivière-Éternité. Un choix s'imposait : traverser le parc ou longer le fleuve ? M'enfoncer dans la réserve faunique des Laurentides aurait été naturel pour moi. Opter pour le parc, c'était choisir le confort, la paix d'esprit, une certaine sécurité. Je pourrais continuer à penser à Justine, à planifier nos retrouvailles, à m'y préparer. Longer le fleuve, c'était me rapprocher de Justine, effleurer son âme, m'efforcer de comprendre son rapport à l'eau. « L'eau guérit, l'eau purifie ; l'eau, c'est la vie », disait-elle. Mais c'était aussi exacerber mes fantômes : « L'eau tue. » Au dernier moment, j'ai opté pour la 138. Traverser la réserve m'aurait donné l'occasion de penser à Justine, suivre le Saint-

Laurent me permettrait d'être avec elle. Finalement, le choix s'imposait.

Le beau temps s'était installé. Les nuages s'étaient tout à fait dissipés, le ciel semblait frais peint d'un bel azur uniforme. « Un 2 septembre parfait », je me suis dit avant de réaliser que c'était faux. Cette rencontre après un an d'absence n'aurait rien de parfait.

J'avais souvent imaginé Justine revenant vers moi, peinée de m'avoir quitté, faisant appel à mon indulgence et me priant de la reprendre, mais je ne m'étais jamais figuré aller vers elle pour mettre fin à cette attente qui me rongeait. Je ne m'étais tout simplement jamais cru capable d'accepter qu'elle soit partie pour toujours et de lui dire définitivement adieu.

J'avalais les kilomètres en guettant le fleuve du coin de l'œil. La plupart du temps, il n'était pas visible, puis il réapparaissait au détour de la route pour disparaître aussitôt derrière un autre paysage. Je l'avais frôlé de près en face de l'île d'Orléans. Passé le pont sur ma droite et les chutes Montmorency à gauche, j'avais gardé le cap vers l'est, jetant de temps à autre un coup d'œil à mon éléphant porte-bonheur. Puis le Saint-Laurent s'était éloigné comme un serpent sournois qui s'enfonce dans la forêt pour revenir en force. En haut de la côte de Baie-Saint-Paul, il m'était réapparu alors que tous les efforts que ma vieille Honda avait faits pour grimper les montées successives lui étaient rendus au centuple dans une descente infernale vers la baie où le Saint-Laurent, couché aux pieds des montagnes, faisait semblant de dormir.

En bas de la côte, j'avais ignoré les indications qui m'invitaient à prendre la route des Éboulements, au bord du fleuve. Je m'étais plutôt engouffré dans l'arrière-pays en suivant toujours la 138 sans même me poser la question. Je me souvenais trop bien de ce chemin pour m'y aventurer une seconde fois. Je devais avoir huit ou neuf ans quand ma mère avait tenté de me réconcilier avec l'eau par une campagne de séduction savamment orchestrée autour d'un cadeau de Noël empoisonné, un livre sur les baleines.

— Oh! Regarde mon chéri comme elle est belle, c'est une baleine bleue et celle-ci, une blanche... Oh! La maman avec son petit... Elle pointait de son index les images comme des chocolats dans une boîte d'assortiment.

J'avais admiré avec elle les photos, me réjouissant à mon tour de la beauté des cétacés, avant de punaiser sur mon mur l'affiche offerte en prime. J'avais même été jusqu'à choisir les baleines comme sujet de recherche en français. Ce printemps-là, ma mère n'avait pas déplié la carte du Québec sur la table de cuisine. Elle m'avait plutôt annoncé qu'elle me faisait une surprise. « Tu vas être content », elle avait eu l'odieux d'ajouter.

Nous étions partis en fin d'après-midi. À partir de Québec, j'avais dormi presque tout le trajet. Il faisait nuit noire lorsque nous étions arrivés à l'hôtel. Quand je me suis retrouvé le lendemain matin sur le quai de Tadoussac à devoir choisir l'embarcation qui nous emmènerait sur le fleuve pour admirer les baleines, j'ai vu que je m'étais fait avoir comme un débutant. Ma colère passée, nous avions rebroussé chemin en silence, après avoir visité le Centre d'interprétation des mammifères marins, assisté aux projections de films documentaires et admiré la collection de squelettes.

— On va mourir maman... on va mourir...

— Ferme tes yeux...

Sans doute pour compenser la déception du rendez-vous manqué en s'offrant un petit bonheur, elle avait décidé d'emprunter la route longeant le fleuve pour retourner à Montréal. Des centaines de kilomètres à côtoyer le Saint-Laurent, un cauchemar mouvant.

« C'est la seule route », m'avait-elle menti alors que, terrifié, je m'étais jeté sur la banquette arrière pendant qu'elle se cramponnait au volant en m'accusant de créer les conditions gagnantes pour un carambolage. « C'est fini », annonçait-elle régulièrement. Anxieux, je relevais la tête et surveillais les espaces bleus à travers le feuillage. J'étais convaincu que ma mère allait manquer un virage et que notre voiture poursuivrait sa trajectoire au-delà des falaises jusque dans les profondeurs du fleuve. Lorsque j'avais enfin repris ma place sur le siège du passager, le copilote désigné que j'étais avait remarqué sur la carte qu'il y avait une autre route traversant l'arrière-pays. Nous aurions pu éviter ce cauchemar. J'avais regardé ma mère d'un œil mauvais. Je savais qu'elle l'avait fait exprès.

— Je l'ignorais, je t'assure que je l'ignorais, elle avait dit sur le même ton que j'empruntais lorsque je lui mentais effrontément.

Peu avant d'arriver à La Malbaie, j'ai quitté la *Route des montagnes* annoncée sur un panneau. Plus tôt, j'avais évité de prendre la *Route du fleuve*. Bientôt, j'allais emprunter la *Route du fjord*. Avec ma mère, j'avais suivi la *Route des baleines*. Au secondaire, nous avions étudié la *Route des navigateurs*. Je me suis mis à penser à la route des épices dont j'avais fait la découverte avec le vieux, et par la suite celles de la soie, du thé, de l'or et du sel. Des routes chargées d'histoire.

J'imaginais la vie comme un enchevêtrement de routes qui se croisent et s'entrecoupent, se rapprochent et s'éloignent. L'existence d'hommes et de femmes qui se rencontrent, partagent leur vie ou simplement un bout de chemin. Des routes qui s'étendent jusqu'à l'horizon; d'autres qui ne mènent nulle part. Toutes ces routes, ces vies, ont un même point de départ, je me disais : une femme. Tous les êtres vivants ont été portés et mis au monde par une femme. C'est cette femme que Justine avait décidé d'aller retrouver lorsqu'elle avait pris la route de Rivière-Éternité. Sa mère.

Justine était dans ma vie depuis près d'un an quand je l'ai surprise complètement nue dans son salon. Agenouillée, dos à moi, elle fixait un assemblage de photos formant une grande mosaïque sur le sol autour d'elle. Absorbée par l'examen des visages impassibles qui semblaient la scruter à leur tour, elle n'avait pas remarqué ma présence. J'avais d'abord cru qu'elle était à la recherche d'inspiration pour son livre. Justine faisait parfois cela, affichant des images évocatrices sur le mur de son salon pour se poster devant et les contempler dans l'attente d'une idée.

Mais le temps passait et Justine restait figée devant cet impressionnant tableau en noir et blanc. En m'approchant, j'avais vu que les photos n'étaient en fait qu'un seul cliché, reproduit des dizaines de fois. Un portrait de sa mère, quelques mois avant sa mort. On voyait dans ses yeux qu'elle n'allait pas bien. Justine m'avait déjà montré cette photo. Je m'en souvenais à cause de ce regard, le même que Justine, certains jours. J'avais aussi remarqué que le chat avait disparu. Pour la première fois, Pablo n'était pas venu à ma rencontre.

— Salut ! j'avais dit tout bas pour m'annoncer sans l'apeurer.

Je l'avais fait sursauter. Elle m'avait regardé d'un drôle d'air. J'ignorais si elle était mal à l'aise d'avoir été surprise nue, dans ce curieux décor, ou si elle était tout simplement perdue dans ses pensées.

— Je te dérange ? lui avais-je demandé pour m'assurer que nous étions bien en contact tous les deux.

— ...

— Ça va, Justine ?

Elle s'était retournée complètement vers moi. J'avais alors remarqué combien elle avait maigri ces dernières semaines. Sa peau ressemblait à une toile collée sur une armature fragile.

— Viens, elle avait dit en me tendant la main.

Mal à l'aise, je l'avais rejointe sur son étonnant bricolage. Je sentais le papier glacé se froisser sous nos corps. Elle m'avait serré fort. Trop fort. Une étreinte tristement douloureuse. J'avais tenté de dégager ses cheveux pour voir son beau visage, ses yeux surtout. Elle me fuyait, cherchant à se blottir au creux de mon épaule.

— Colle-moi, m'avait-elle prié à voix basse.

Finalement, je n'avais pas besoin de voir ses yeux pour savoir que ça ne tournait pas rond dans sa tête. Nous étions restés enlacés l'un à l'autre, sans rien dire, jusqu'à ce que la nuit tombe. Au petit matin, Pablo était sorti de sa cachette pour lécher la main de Justine, comme il lui arrivait parfois de lécher ses propres plaies.

Quatre mois plus tard, un jour de novembre, j'ai retrouvé Justine couchée sur un montage identique. J'ai compris que quelque chose de grave s'était produit dès que j'ai mis le pied dans son appartement. Peut-être à cause de l'odeur nauséabonde qui m'a sauté au nez ou de l'absence de Pablo. Je m'étais avancé vers le salon à pas de loup, comme on s'approche d'une scène qu'on préférerait ne pas voir. Le spectacle qui s'était offert à moi était d'une désolation sans nom.

Une tempête avait traversé la pièce en emportant tout sur son passage. Les fauteuils et les tables d'appoint avaient été renversés, les rideaux déchirés et des livres dont on avait arraché les pages étaient entassés dans un coin, tel un bûcher prêt à être allumé. Justine gisait dans l'œil de la tempête, recroquevillée en position fœtale sur les photos froissées. Elle baignait dans ses excréments.

Je l'avais ramassée. Elle était molle comme une poupée de chiffon. En fait, c'est faux. L'odeur de la merde m'avait levé le cœur. J'avais eu peur d'être malade si je m'approchais trop d'elle. J'avais bien essayé de me raisonner en me répétant que ce n'était pas grave, ce n'était pas pire qu'un enfant qui aurait sali sa culotte. Mais ce n'était pas un enfant. C'était Justine et telle qu'elle était, roulée en boule, je voyais ses cuisses, ses fesses et son dos souillés. J'avais ouvert la fenêtre du salon en espérant que ça suffirait à chasser l'odeur.

— Justine, ma belle, lève-toi, tu dois aller prendre une douche.

— …

— Allez, viens ma belle…

— …

Je la tirais délicatement par la main en souhaitant que ce soit assez pour la sortir de sa torpeur. Je voyais bien qu'elle était loin dans sa tête, on aurait dit une droguée en plein trip de LSD. Les yeux mi-clos, elle fixait un objet ou un monde qui n'existait pas. Ses belles pastilles chocolatées ressemblaient à du plomb fondu.

— Qu'est-ce qui ne va pas, ma belle ? Tu sais que je t'aime gros ? lui dis-je pour la rassurer, qu'elle sache que je n'étais pas fâché.

— ...

Finalement, j'ai pris mon courage à deux mains. Je suis allé chercher du papier de toilette, un sac à ordures, une débarbouillette et des serviettes. J'ai rempli un seau d'eau chaude savonneuse avant de retourner dans le salon. Doucement, je l'ai lavée de la tête aux pieds. Puis j'ai eu l'idée de la masser avec son huile à la *Poire divine*. Elle se laissait faire sans dire un mot. Pendant ce temps, sa couette tournait dans la sécheuse.

Après avoir tout ramassé, j'ai enveloppé Justine dans son édredon et lui ai placé un oreiller sous la tête. C'est à ce moment-là que j'ai remarqué qu'elle pleurait. « Je suis désolée », elle a murmuré. C'est, du moins, ce qu'il m'a semblé entendre.

Nous avions passé la nuit sur le plancher du salon, elle emmaillotée comme une momie et moi l'enserrant comme un paquet fragile. Au petit matin, nous osions à peine nous regarder. Justine s'était levée pour disparaître dans la salle de bain. Je l'avais attendue, sans bouger, comme on attend une mauvaise nouvelle.

— Je vais aller voir le médecin, elle avait dit à son retour en évitant de croiser mon regard. Tu n'es pas obligé de rester... je t'avais prévenu que nous deux, ce n'était pas une bonne idée...

Je n'étais toujours pas d'accord avec elle.

Quelques mois plus tard, tout a basculé. C'était un dimanche. Un drôle de dimanche, m'étais-je dit dès le réveil en surprenant Justine cachée sous la couverture qu'elle tenait solidement agrippée sur sa tête. J'avais d'abord cru qu'une tempête de neige se préparait avant de comprendre que les vents violents viendraient de l'intérieur.

— Tu as envie qu'on passe la journée ensemble? lui ai-je demandé alors qu'on achevait de déjeuner.

— Fais comme tu veux, avait été sa réponse.

J'avais le nez plongé dans le cahier des sports qui traînait sur la table.

— Je dois faire du rangement, avait-elle annoncé derrière l'écran du journal ouvert à sa pleine grandeur.

En levant les yeux pour voir d'où venait le bruit qui m'avait fait sursauter, j'ai découvert Justine assise par terre, entourée de sacs de céréales et de farine, de paquets de biscuits, de boites de conserve et de pâtes, bref de tout ce que peut contenir un garde-manger. Au milieu de ce capharnaüm, Justine inspectait de près un pot de beurre d'arachide qui semblait avoir survécu à sa chute libre.

— Wow! Gros ménage, j'ai lancé avant de retourner à mon journal, complètement découragé.

Peu après, j'ai entrevu Justine se faufiler dans la salle de bain. En fait, j'avais entendu une suite de petits pas saccadés résonner sur le plancher, suivie d'un violent claquement de porte. La douche coulait depuis assez longtemps pour que je commence à m'inquiéter. J'ai voulu entrouvrir la porte pour voir si tout allait bien, mais elle était verrouillée. De l'autre côté, j'entendais Pablo qui miaulait.

— Ça va là-dedans? ai-je demandé en cognant délicatement dans la vitre opaque.

Ma question avait été suivie d'un long silence, puis d'un faible « oui ». J'avais repris ma lecture, incapable de me concentrer. En sortant, Justine était retournée se coucher sans se préoccuper du désordre qu'elle avait laissé dans la cuisine.

— Tu ne finis pas ton ménage? je lui avais demandé en me glissant à ses côtés.

— Non, avait simplement répondu Justine en me tournant le dos.

Puis, elle s'était levée d'un bond.

— Je n'ai pas envie de dormir, avait-elle annoncé en enfilant un jean et un t-shirt qu'elle venait de retirer du panier à linge sale. Je vais faire du lavage, elle avait ajouté en quittant la chambre les bras chargés de vêtements propres qu'elle venait de sortir de ses tiroirs.

Lorsque nous nous étions finalement assis dans le salon pour regarder le bulletin télévisé du soir, j'avais senti la pression tomber. La journée tirait à sa fin, j'espérais que Justine serait en meilleure forme le lendemain. Une mauvaise journée et dix de bonnes, ça lui arrivait souvent.

Elle m'avait alors posé une question dont le sens m'avait échappé. Je lui avais fait répéter, mais elle n'avait pas répondu. Alors que le journaliste présentait en rafale les nouvelles internationales, Justine avait élevé la voix. Je m'apprêtais à lui demander ce qui se passait lorsque j'ai compris qu'elle ne s'adressait pas à moi ; elle était en contact direct avec l'animateur.

Interloqué, je la regardais fixer le téléviseur. On aurait dit qu'elle portait un masque, tant la tension qui émanait de son corps défigurait son beau visage. Je la sentais complètement terrorisée. On aurait dit un animal pris au piège. Le journaliste continuait à commenter l'actualité et Justine à se défendre.

— Ma mère était malade... elle était toujours enfermée dans sa chambre...

— ...

— C'est pas vrai, t'as pas le droit de dire ça... le médecin me l'a confirmé...

— ...

— Non, c'est pas vrai, je ne voulais pas qu'elle meure...

— ...

Une fois ou deux, Justine avait jeté un coup d'œil dans ma direction. Je pensais qu'elle était inquiète, qu'elle ne voulait pas que je la voie dérailler ainsi, ce qui m'aurait permis de constater qu'elle avait encore un pied dans la réalité. Mais son contact avec le réel était une fine couche de glace. « Elle va passer à travers et se noyer », me suis-je dit en apercevant ses yeux fiévreux.

Puis, son regard affolé a fait un aller-retour entre l'animateur et moi. Elle devait penser que j'étais de connivence avec lui. Nous deux contre elle pour défendre sa mère. Justine dans le rôle de l'agresseur et sa mère, dans celui de la victime. Et maintenant, c'était moi qui assumais le rôle de l'agresseur et Justine celui de la victime. J'avais l'impression d'assister à un film d'horreur et, pour être franc, j'ai commencé à avoir peur.

— Ça ne va pas bien, ma belle, tu veux qu'on aille à l'hôpital ? Tu veux que je téléphone à ta sœur ? Peut-être que ça te ferait du bien de lui parler, lui ai-je délicatement suggéré.

Justine m'a fixé d'un air soupçonneux avant de se retourner vers le journaliste qui, par un hasard fortuit, semblait la toiser avec arrogance. Elle est revenue vers moi et j'ai vu qu'elle ne distinguait plus rien. Rien qui fasse partie de la réalité, en tout cas.

— Viens t'asseoir, dis-je en tapotant le fauteuil d'un geste qui se voulait rassurant.

Elle venait de se lever d'un bond. Du salon, je pouvais la voir dans la cuisine. Je me suis alors souvenu de la vaisselle qui traînait sur le comptoir. Je lui ai proposé de m'en occuper le lendemain, avant de partir travailler. Elle a suivi mon regard pour tomber, tout comme moi, sur les assiettes empilées et les ustensiles jetés pêle-mêle par-dessus. Je pensais aux couteaux à steak et j'avais un mauvais pressentiment. Justine n'était pas du genre à se laisser attaquer sans se défendre.

— Prendrais-tu une tisane, ma belle ? ai-je suggéré pour détendre l'atmosphère en me disant que je devais éviter de sombrer à mon tour dans la paranoïa.

Alors que l'animateur concluait son émission sur une blague qui avait fait rire sa coéquipière, j'ai perçu un mouvement rapide dans la cuisine. Je me suis intuitivement retourné pour apercevoir une ombre menaçante bondir sur moi. Ce n'est pas mon genre de fuir lorsque les problèmes se présentent, mais ce soir-là, mon instinct m'avait fortement suggéré de prendre la poudre d'escampette.

Le médecin m'avait demandé d'attendre avant d'aller la visiter. Lorsque je suis entré dans sa chambre, la semaine suivante, la femme assise dans le lit était une pâle copie de ma Justine. Elle semblait revenir d'un long voyage qui l'aurait laissée épuisée. Légèrement décalée dans le temps, l'esprit troublé par de vagues souvenirs, les yeux perdus dans des paysages lointains. L'effet de la maladie et des médicaments, je me suis dit. Justine avait ramassé ses cheveux en un joli chignon. Le fard délicatement appliqué sur ses joues n'arrivait pas à masquer son teint crayeux. Ses pastilles chocolatées m'évitaient.

— Salut beauté! lui avais-je lancé sur un ton faussement joyeux.

Mal à l'aise, je faisais semblant que la vie était belle et je disais n'importe quoi pour meubler le silence embarrassé qui nous enveloppait. Émilie m'avait conseillé d'agir le plus naturellement possible. C'est ce que m'efforçais de faire, mais tout sonnait faux. Le ton de ma voix. Le choix de mes sujets de conversation. Mon regard posé sur elle. Ma présence dans cette chambre d'hôpital.

Je voyais bien qu'elle avait honte. Honte de souffrir de maladie mentale. Honte d'être forcée de prendre des médicaments pour fonctionner normalement. Honte d'être allongée dans un lit au fond d'une aile psychiatrique. Honte d'avoir voulu me tuer pour défendre sa vie qu'elle croyait menacée.

J'aurais voulu lui dire que je m'en fichais, que je me fichais de tout. De ses voix, de sa paranoïa, de ses sautes d'humeur, de ses phases de désespoir, de ses pilules bleues, blanches ou rouges, de son hygiène douteuse certains jours, de sa maigreur cadavérique, pourvu qu'elle reste avec moi, au creux de mes bras. Mais elle ne m'aurait pas cru.

J'aurais pu aussi lui avouer que moi aussi, j'avais honte. Honte d'avoir trop souvent fermé les yeux sur sa maladie parce que ça m'arrangeait de croire que j'étais amoureux d'une fille un peu bizarre, mais somme toute normale. Honte des préjugés que je nourrissais à l'égard des termes qu'on employait pour parler d'elle : dépression, psychose, régression, hallucinations, médication, effets secondaires, rechute ; des mots que je refoulais dans mon inconscient dès qu'ils m'effleuraient l'oreille. J'avais honte de ce que je n'avais pas été pour elle, de ce que j'avais refusé de voir, de tout ce que je n'avais pas dit ni fait. Mais ça non plus, elle n'aurait pas voulu l'entendre. Alors, j'ai gardé sa main dans la mienne en espérant qu'au point où nous en étions, nous pouvions nous passer de mots.

— Tu veux que je t'amène Pablo incognito ? lui avais-je demandé en sortant.

Elle avait fait signe que non en souriant tristement.

Justine avait reçu son congé à la fin de la troisième semaine. Le psychiatre lui avait rappelé l'importance de prendre ses médicaments et de se présenter à ses rendez-vous. Elle avait opiné de la tête comme un enfant qu'on sermonne. Une fois rentrée à l'appartement, elle était allée directement se coucher sans toucher au repas que je lui avais préparé ni faire de commentaire sur le bouquet de fleurs qui l'attendait.

Je l'avais suivie sans savoir si c'était la bonne chose à faire, mais sans avoir envie de faire autre chose. Étendu auprès d'elle, j'avais l'impression d'être un étranger à côté d'une personne disparue. Tout ce que nous avions bâti au cours des derniers dix-huit mois semblait s'être volatilisé. J'aurais aimé la rassurer, lui dire que tout irait bien. Mais qu'est-ce que j'en savais ? Est-ce que tout irait vraiment bien à partir de maintenant ? J'avais pensé lui répéter que ce n'était pas grave. Mais c'était grave, elle avait voulu me tuer. Le plus simple aurait été de lui parler d'amour, de mon amour, immense et solide comme du roc. Mais je sentais que ce n'était pas le bon moment. Justine me tournait le dos, je savais par sa respiration qu'elle ne dormait pas. J'espérais qu'elle se retourne, qu'elle me permette de la prendre dans mes bras.

« Ici, c'est ma maison », elle avait dit, un jour, avant de venir se nicher au creux de mon épaule. J'aurais voulu qu'elle retrouve le chemin de sa maison et qu'on souffre ensemble.

— Je ne m'en sortirai jamais, avait-elle dit comme on rend un verdict. Je ne veux pas vivre comme ça...

Je m'étais approché d'elle et j'avais déposé un baiser à la base de son cou, puis un autre sur son épaule et encore plein d'autres dans le haut de son dos. Une pluie de bisous posés délicatement sur sa peau nue. Je ne voyais pas ce que j'aurais pu faire de plus ou dire de mieux. J'avais conservé la même stratégie dans les semaines qui avaient suivi. À force de petits gestes, la vie avait repris son cours normal. C'est, du moins, ce que je voulais croire.

Bienvenue à Rivière-Éternité, Fenêtre sur le fjord. J'avais roulé les deux dernières heures avec l'étrange sensation d'être enfermé dans un scaphandre. Mon corps, que je sentais de plus en plus rigide, en formait les parois. La douleur que je ressentais à la tête, comme si quelqu'un me pressait les tempes, me donnait l'impression de respirer à travers un tube relié à la surface. Mon malaise n'avait rien à voir avec ma phobie, avec toute cette eau que je suivais comme un fil d'Ariane depuis Montréal. C'était quelque chose de différent, de plus complexe et de plus pernicieux aussi : l'angoisse des retrouvailles.

L'idée de faire demi-tour m'avait plus d'une fois traversé l'esprit, mais je savais qu'il était trop tard. J'étais rendu trop loin, pas au sens du kilométrage parcouru, mais dans ma prise de conscience. Plus jamais je ne pourrais vivre comme avant, c'est-à-dire en attendant chaque jour le retour de Justine, en reniflant honteusement ses tricots et en maudissant un obscur éditeur. Une porte s'était ouverte au cours de ma nuit chez Marie et, même si j'avais la trouille, je devais aller jusqu'au bout.

Le pied effleurant à peine l'accélérateur, j'avançais sur ce long ruban noir qui séparait le village natal de Justine en deux, comme une longue fermeture éclair. Moi qui m'attendais à un tableau bucolique, j'étais déçu. Les belles demeures aux couleurs pastel et aux toits ornés de dentelle ajourée que j'avais imaginées n'existaient pas, pas plus que la vie animée le long de la rivière poissonneuse. Le patelin consistait en une suite de maisons de Monopoly s'étalant au gré des entrées privées qui jalonnaient l'artère principale.

Alors que nous envisagions de prendre quelques jours de vacances ensemble, j'avais proposé à Justine de venir faire un tour à Rivière-Éternité. Je souhaitais voir les lieux où elle avait grandi, son école, le pont qui lui servait de cachette, le parc où elle aimait tant patiner. J'aurais aimé rencontrer Marianne, sa seule amie à être restée au village, et le fou, celui qui était différent des autres et qui faisait peur aux enfants.

— Pas tout de suite, avait été sa réponse.

Il m'aurait été facile de retrouver sa maison. Une maison mobile au bord de la 170, « plus près de la forêt que de la rue », avait-elle précisé. J'aurais pu sonner aux portes et m'informer si c'était là que Justine Leblanc était née, demander à visiter sa chambre pour regarder à travers cette fenêtre par laquelle tant de fois elle avait rêvé de s'envoler. J'aurais pu jeter un coup d'œil au salon où elle passait ses journées à écouter la télévision, couchée à plat ventre, un chat à ses côtés. Je me serais peut-être risqué à pousser la porte de la chambre de sa mère, « un trou noir, disait Justine lorsqu'elle en parlait. Un trou noir qu'elle quittait seulement la nuit quand la maison était devenue un autre trou noir. »

Mais je ne le ferais pas. Je ne chercherais pas cette maison que Justine n'avait jamais voulu me montrer. Je ne poserais pas les questions auxquelles elle avait toujours refusé de répondre. Je ne volerais pas ses secrets. Je ne verrais d'elle que ce qu'elle avait voulu me dévoiler.

Perdu dans mes pensées, j'ai bien failli manquer l'intersection de la route menant à Baie-Éternité. Au prix d'un brusque coup de volant, j'ai réussi à prendre l'embranchement au dernier moment. Cette baie était le seul endroit dont Justine avait gardé de bons souvenirs. Enfant, elle venait s'y baigner l'été. C'était là qu'elle avait appris à nager et, plus tard, à manœuvrer le kayak. Elle avait embrassé un garçon pour la première fois sur ce rivage et s'y était baignée nue par une chaude nuit de juillet, m'avait-elle raconté. Lorsque des questions graves la hantaient, elle venait les lancer dans le fjord. De la façon qu'elle parlait, je crois qu'elle était sincère quand elle disait que le Saguenay lui répondait.

Justine estimait qu'il n'y avait rien de plus beau ni de plus grand au monde que cette faille, cette ancienne vallée glaciaire envahie puis désertée par la mer. Des murailles de roc hautes de plus de trois cents mètres qui se dressaient fièrement vers le ciel pour plonger tout aussi profondément dans les eaux froides du Saguenay. « Une entaille dans la pierre », disait-elle, et je voyais ses pupilles se contracter pour devenir cette fosse insondable qui la fascinait tant. Elle me parlait des baleines, des poissons à barbichette et des poules de mer en imitant tantôt le souffle des cétacés, tantôt le froissement des branchies dans l'eau. Dans ces moments-là, je trouvais qu'elle avait l'air heureuse. A posteriori, je crois que Justine n'arrivait à effleurer le bonheur que lorsque ses souvenirs la ramenaient au fjord. « L'eau guérit », disait-elle.

J'ai parcouru les sept kilomètres menant de la route principale à la baie au rythme d'un cortège funèbre, en contournant les nids-de-poule. La journée tirait à sa fin, il n'y avait plus que quelques voitures dans le stationnement. Dans l'idée de retarder ma rencontre avec le fjord, j'ai garé ma vieille Honda le plus loin possible de la descente vers la baie. J'ai pensé téléphoner à ma mère pour la rassurer, lui annoncer que j'étais arrivé sain et sauf. J'imaginais le long silence à l'autre bout de la ligne et les larmes dans ses yeux. Un coup d'œil à l'écran de mon cellulaire m'a informé que je n'avais pas accès au réseau. J'étais seul.

Mais je n'étais pas vraiment seul. Pour la première fois depuis qu'elle était partie, je sentais la présence de Justine près de moi comme lorsque je la regardais dormir, absente mais toujours là. C'était ici qu'elle avait mis son kayak à l'eau. Des gens disaient l'avoir vue. Une grande brune avec un short bleu et un tricot blanc. Des tas de filles pouvaient correspondre à cette description. Sauf qu'une femme qui prenait des photos l'avait entendue chanter pendant qu'elle poussait son embarcation dans la rivière. Elle avait reconnu l'air qui lui était d'ailleurs resté en tête toute la journée, avait précisé la dame au policier, comme un reproche. « *Marjolaine, cette nuit la lune est cachée, dans l'ombre faut s'en aller... avant que le jour ne vienne... faut se sauver... loin d'ici, oublier les jours mauvais, sans retour et sans regret...* »

Marjolaine. Il serait faux de dire que c'était notre chanson, nous n'avions pas ce genre de coquetteries de couple, l'air favori, la date anniversaire, le restaurant fétiche... Mais nous aimions particulièrement cette chanson de Zachary Richard et prenions plaisir à l'entonner en imitant son accent acadien. « *Loin d'ici, un abri pour notre amour...* » Cette femme qui l'avait entendue chanter, ceux qui l'avaient vue mettre son kayak à l'eau, le type qui lui avait loué l'embarcation, « une jolie brune », avait-il dit au policier qui avait recueilli sa déposition, tous ces détails étaient consignés dans le rapport d'enquête.

Je n'avais pas lu ce document. Je n'avais jamais voulu le voir ni savoir quoi que ce soit concernant la disparition de Justine. J'avais aussitôt détruit le message qu'Émilie avait laissé dans ma boîte vocale le premier matin. Elle disait que les voix de Justine étaient revenues, le jour de son rendez-vous important. En fait, la nuit précédant sa disparition, avait-elle précisé. Cette nuit où elle s'était agrippée à ma main, j'ai pensé. Justine était retournée chez elle et avait griffonné un mot sur la page couverture de son contrat signé : *Besoin de calme*. Justine ne m'avait pas quitté pour un obscur éditeur, elle s'était enfoncée dans la rivière. Justine était morte. Ce jour-là, je me suis enfui, j'ai fui la réalité pour m'enfoncer à mon tour dans un espace où j'espérais que rien ni personne ne pourrait jamais m'atteindre. Chaque fois que ma mère, Maxime ou Émilie tentait de me ramener à la réalité, je claquais la porte, raccrochais la ligne ou quittais la table ; je trouvais refuge auprès du vieux qui me gavait d'histoires d'hommes courageux bravant les tempêtes.

On avait retrouvé son kayak échoué dans une crique, à des kilomètres de là. Le vent l'y avait probablement poussé, à moins que Justine ait pagayé jusque-là, ce qui représentait des heures d'efforts et la certitude de ne pas pouvoir rebrousser chemin ce jour-là. Ce n'était pas le genre de balade d'agrément que les kayakistes entreprenaient en fin de journée, avait précisé un employé du parc.

L'enquête n'avait pas pu clairement démontrer qu'il s'agissait d'un suicide. La thèse d'une mort accidentelle avait été évoquée. La vérité est qu'on ne savait pas, mais qu'on pouvait facilement deviner. Justine me l'avait dit : « Je ne vivrai pas comme ça. » Ce jour-là, j'avais déposé une pluie de bisous à la base de son cou en croyant que c'était tout ce que je pouvais faire pour elle. Et maintenant, elle était morte.

J'étais là pour voir tout ce que j'avais nié depuis un an. La plage, Justine adorable dans son short bleu, le kayak glissant sur les eaux du fjord, un point noir à l'horizon et puis, plus rien. Je ne savais pas dans quelle direction regarder. J'aurais aimé lancer mes questions au fjord comme Justine le faisait, enfant, mais ma relation trouble avec l'eau rendait toute communication impossible. Alors je balayais la baie du regard, dans l'espoir d'apercevoir le fantôme d'une belle fille pagayant sous le soleil de septembre, resplendissante de bonheur comme lorsqu'elle émergeait de son bureau pour m'annoncer : « Vingt-deux mille mots ! »

J'avais souvent entendu parler de la beauté du Saguenay, mais personne n'avait jamais mentionné la profondeur de son silence. Une paix lourde comme un géant endormi, une sereine harmonie protégée par les parois escarpées du fjord, ancrée dans les abysses de son lit. C'est à ce moment-là que j'ai compris pourquoi Justine avait mis son kayak à l'eau : pour retrouver le silence. Jamais je n'aurais pu lui offrir un silence aussi parfait.

Des enfants couraient sur le terrain de pique-nique ; leurs parents discutaient en les surveillant du coin de l'œil. J'ai cherché un endroit tranquille où m'assoir. Un sentier longeait la plage, je l'ai suivi. Un arbre dont les racines noueuses me rappelaient les doigts du vieux a attiré mon attention. Je m'y suis installé, entre ce qui aurait pu être le majeur et l'annulaire de cette main géante. Je regardais la rivière qui recouvrait Justine et je me suis souvenu du jour où elle était rentrée de son premier rendez-vous avec le psychiatre, peu de temps après son hospitalisation.

Au fond de ses yeux, je lisais l'humiliation ressentie par ceux qui n'ont pas d'autre choix que de se soumettre. Un reportage vu à la télévision m'était revenu en mémoire : un Touareg obligeait un chameau à se coucher ; l'animal résistait de toutes ses forces à la tension de la corde qui lui déchirait la gueule. Sa plainte n'en était pas une de souffrance, mais de fierté bafouée. C'était le même cri silencieux que j'avais deviné dans les yeux de Justine. J'avais cru ce jour-là qu'elle s'y ferait, que c'était mieux ainsi, qu'elle se soumettrait à l'inéluctable. C'était mal la connaître.

Je devais me mettre au travail. J'ai sorti de mon sac à dos le fil de fer acheté plus tôt à la quincaillerie. À force de triturer la tige, j'ai réussi à façonner un cercle presque parfait de la taille d'une petite couronne de Noël. Je l'ai doublé pour le solidifier avant de fixer les pointes de la broche entre les tiges pour qu'elles ne blessent personne. J'ai ensuite coupé plusieurs dizaines de longueurs de fil rose. À partir du moment où j'ai commencé à attacher les bâtons de cannelle sur la couronne, j'ai tout oublié : les enfants dont les cris de joie me parvenaient au loin, la rivière Saguenay qui me faisait face, les kayakistes qui revenaient de leur excursion et le soleil qui se couchait lentement. La brunante s'était presque installée quand j'ai enfin terminé ma couronne. Je n'avais pas arrêté de penser à l'invitation de Justine.

— Un jour, nous nagerons ensemble…

Après m'être assuré qu'il n'y avait plus personne aux alentours, je me suis déshabillé.

Avait-elle imaginé une seule seconde, lorsqu'elle m'avait fait cette affirmation, que ça se passerait ainsi? Qu'elle s'enfoncerait dans l'eau et que je devrais braver mes fantômes pour l'y rejoindre? Certainement pas. Jamais Justine ne m'aurait volontairement lancé un tel défi. C'est pourquoi j'avais des doutes au sujet de sa mort. J'avais de la difficulté à admettre qu'elle se soit vraiment suicidée. Elle ne pouvait être allée dans un lieu où je ne pourrais jamais la retrouver. C'était un accident, nécessairement.

J'avançais doucement dans l'eau glacée du fjord qui enserrait mes chevilles comme les griffes d'un piège refermé sur sa proie. J'allais nager avec ma belle.

Si je n'arrivais pas à contrôler ma peur et à me raisonner, la panique m'envahirait et il ne serait plus question pour moi de nager, j'irais tout bonnement couler au fond de la rivière. « Ta peur est réelle, mais la menace ne l'est pas. Le fjord ne va pas bondir sur toi et t'engloutir, c'est toi qui vas vers lui, tu as le contrôle », me répétais-je sans trop de conviction.

Remplissez vos mains d'eau, soufflez dedans. Recommencez. Je me suis agenouillé dans la rivière et ai tenté de l'apprivoiser en pratiquant les exercices proposés dans les livres consacrés au traitement de l'hydrophobie. Après avoir recueilli un peu d'eau au creux de mes mains, j'ai soufflé dedans. Une fois les mains vides, j'ai recommencé. *Soyez fiers des progrès réalisés. Persévérez.* Le goût salé du fjord me rappelait celui des arachides que je picorais toute la journée à la boutique, mais surtout celui de la peau de Justine quand elle avait chaud.

Mettez votre bouche dans l'eau, faites des bulles. J'ai plutôt mouillé mes joues et mon front. J'avais cessé de grelotter. Le vent venait de tomber. La nuit était calme. Quelques oiseaux étaient encore actifs. J'entendais leurs chants à travers le feuillage des arbres. *Recommencez.* J'ai fait une jatte avec mes mains et l'ai remplie avant d'y plonger la bouche. Le temps d'approcher mon visage, l'eau s'était faufilée entre mes doigts.

Recommencez. Je me suis empressé de souffler dans l'eau avant qu'elle ne s'échappe. Dans ma hâte, j'ai inspiré par le nez au lieu d'expirer par la bouche et l'eau m'a envahi les narines. Le sel, dont le goût m'avait amusé en bouche, me brûlait maintenant les sinus. Pris de panique, j'ai fait un faux mouvement qui m'a fait basculer. Je me suis retrouvé assis dans la vase à cracher des filets de salive. *Soyez fiers des progrès réalisés. Persévérez.*

Comme un boxeur qui se relève après avoir encaissé un dur coup, je me suis redressé pour avancer dans la rivière. J'avais de l'eau jusqu'aux cuisses quand je me suis arrêté. Puis, chaque fois que la lune émergeait des nuages, je faisais un pas de plus. Après quelques éclaircies, l'eau m'arrivait à la taille. Je savais que je n'irais pas plus loin. J'effleurais des mains la surface de l'eau, je la faisais couler entre mes doigts, je respirais son odeur marine.

J'ai passé un long moment à surveiller la course des nuages et, lorsqu'un rayon de lune m'offrait en spectacle l'immensité du fjord, je faisais l'effort de me recueillir sur la tombe de ma belle. Je pensais à nous deux, je ramenais nos souvenirs à ma conscience. Je me disais que ça devait se passer comme ça au salon mortuaire. Les endeuillés s'immobilisent devant la dépouille de l'être cher, ils pensent au disparu, le cherchent dans leurs souvenirs, tentent de le toucher une dernière fois.

Lorsque le clair de lune est revenu, j'ai revu Justine le premier jour, alors qu'elle avançait vers moi dans sa longue robe fouettée par le vent. Me remontaient à la mémoire ses pastilles chocolatées, ses doigts fins tournicotant une mèche de cheveux. J'ai fermé les yeux et je suis descendu lentement sous l'eau. Le silence a du coup pris la texture de cette quiétude des lieux sacrés, ou d'une bibliothèque, préférais-je penser. Sous l'eau, dans ce silence absolu, il n'y avait plus que nous deux.

J'ignore combien de temps je suis resté ainsi dans la rivière. Quelques secondes tout au plus, c'était sans importance, nous avions nagé ensemble.

J'ai attendu la prochaine éclaircie pour aller récupérer ma couronne que j'avais déposée sur la berge. Les pieds enfoncés dans le fjord, je l'ai lancée le plus loin possible. Le vieux m'avait raconté que les Égyptiens utilisaient de la cannelle dans leurs rituels funéraires pour assurer la survie de l'âme du défunt. Il m'avait aussi dit que la mémoire était le siège de l'immortalité et que les odeurs pouvaient ramener le souvenir des années passées.

La cannelle était l'épice préférée de Justine. Elle sautillait comme une gamine lorsque j'en rapportais de la boutique. Elle s'empressait d'en faire une recette, l'incorporant dans un gâteau ou glissant les bâtons dans des bocaux qu'elle remplissait d'alcool. J'espérais que le vieux avait raison et que dans sa vie éternelle, Justine garderait une petite place pour nous au sein de sa mémoire.

Le retour à la voiture a été pénible. Je n'avais jamais réalisé à quel point l'obscurité pouvait être dense à la campagne. J'avançais lentement, de peur de trébucher. J'ai dû m'arrêter plusieurs fois en attendant que la lune daigne émerger des nuages pour me permettre de continuer ma route. Le moindre bruit me faisait sursauter, m'injectant une nouvelle dose d'adrénaline. J'essayais de chasser l'idée d'un face à face inévitable avec un animal. J'avais entendu dire qu'il y avait des ours dans la région. J'imaginais la bête se délecter de ma chair qui devait avoir gardé un petit goût salé.

J'ai senti mes muscles se détendre et mon inquiétude s'apaiser dès que j'ai aperçu les contours de ma Honda au fond du stationnement. Je me suis assuré que les portières étaient bien verrouillées avant de lancer le moteur et d'allumer la chaufferette à la puissance maximale. J'étais littéralement frigorifié. Mes vêtements, enfilés en vitesse à ma sortie de l'eau, étaient humides ; ils me collaient à la peau et me gelaient les sangs. Calé sur mon siège, les jambes allongées entre les pédales et la nuque reposant sur l'appui-tête, je suis resté un long moment immobile à attendre que la chaleur m'envahisse complètement et vienne à bout de mes tremblements. Un bruit sec m'a fait sursauter. Le cœur au bord des lèvres, j'ai cherché à comprendre d'où venait le choc. Il venait de moi. Je m'étais endormi, puis réveillé brutalement quand ma tête avait heurté le montant de la portière. L'horloge du tableau de bord marquait vingt heures quarante-six. J'avais somnolé à peine quelques minutes.

J'ai pensé reprendre la route avant de me souvenir de la promesse faite à ma mère : j'allais être prudent. Je suis allé chercher la couverture que je gardais dans mon coffre en cas d'urgence, j'ai éteint le moteur et je me suis glissé sur la banquette arrière après avoir entrouvert la fenêtre. Blotti sous la couverture, je suis tombé endormi avant même que ma tête ne touche la cuirette craquelée du siège. Ma dernière pensée a été pour Justine, j'allais passer la nuit près d'elle.

Au petit matin, un cri déchirant m'a réveillé. Je me suis relevé brusquement, coincé dans l'habitacle exigu de ma Honda. Je nageais main dans la main avec Justine. Nous flottions dans un fjord au fond sablonneux et à l'eau cristalline. Nous nous moquions des méduses qui semblaient reculer en avançant.

Silencieux, nous écoutions le chant des baleines. Nous nous amusions à retourner les coquillages pour voir s'ils étaient habités et par qui. Puis Justine s'était mise à me narguer parce qu'elle faisait des bulles plus grosses que les miennes, alors nous avons engagé une bataille. Les yeux exorbités, les joues gonflées à bloc, nous soufflions avec conviction des chapelets de bulles qui allaient se perdre à la surface. Au moment même où elle avait gagné la partie, Justine avait pouffé de rire. J'avais alors senti sa main glisser hors de la mienne, le bout de ses doigts avait effleuré doucement la paume de ma main et puis, plus rien, simplement le vide. Glacé d'effroi, j'avais crié.

Je tentais d'effacer la dernière vision de mon cauchemar en y superposant de nouvelles images, mais le courant glacial que j'avais ressenti quand Justine m'avait lâché la main me brûlait la peau comme de l'azote liquide. Même si l'idée de me promener dans la pénombre ne m'enchantait guère, je suis allé marcher. Je me suis dirigé vers l'est, jusqu'au bord de l'eau, et lorsque le soleil a émergé au-dessus du fjord, je lui ai tourné le dos pour revenir sur mes pas.

Lettre à Justine

A *u revoir de tous les Éternitois* était écrit sur un panneau à la sortie de la municipalité. Il était six heures trois au tableau de bord. En conduisant à cent kilomètres à l'heure en moyenne sans m'arrêter, je prévoyais être de retour à Montréal aux alentours de midi. J'étais seul sur la route. J'ai allumé puis éteint la radio. J'avais envie de rester seul.

Arrivé à Saint-Siméon, à l'intersection de la route 170 et de la 138, deux flèches pointant en sens contraire me faisaient face. L'une m'invitait à revenir vers La Malbaie pour rentrer à Montréal, l'autre à m'enfoncer plus à l'est, vers Tadoussac. Je m'imaginais revenant chez moi pour affronter ma mère, Maxime et le vieux. Ils chercheraient à savoir si j'allais mieux. Si j'avais commencé à faire mon deuil. Si j'accepterais dorénavant qu'on parle de Justine au passé. Je n'avais pas de réponses à leurs questions, pas plus que le courage de faire face à leurs regards bienveillants.

Je n'avais pas non plus la force de me mêler à la masse grouillante de la métropole, à tous ces gens insouciants qui vaquaient à leurs occupations avec légèreté, le bonheur accroché à leurs semelles. L'idée de retourner à la boutique, de reprendre mes activités, de répondre mécaniquement aux clients que j'allais bien, alors que j'avais le cœur barbouillé, me tétanisait. Et puis, il y avait le fameux réveil, celui de Justice. Il allait sonner demain matin chez moi pour la trois cent quatre-vingt-quatrième fois. Je n'avais pas encore pris de décision à son sujet.

Mille cent quatre-vingt-dix-sept kilomètres. J'avais retenu cette information de mes cours de géographie.

— Le Saint-Laurent prend sa source dans le lac Ontario et coule en direction du nord-est jusqu'à Montréal et Québec pour aller se jeter dans le golfe, nous avait demandé de noter dans notre cahier le professeur qui ne nous faisait visiblement pas confiance pour retenir la leçon.

Mille cent quatre-vingt-dix-sept kilomètres. Je m'en souvenais encore.

Je regardais le fleuve sur la carte routière. Ainsi coincé entre la rive nord et la rive sud, il ressemblait à une veine. C'était peut-être pour cela que Justine disait que l'eau est synonyme de vie, parce qu'elle sillonne la Terre comme les veines, le corps humain. C'est en réfléchissant ainsi que j'ai su ce que j'avais le goût de faire, j'avais envie de suivre cette longue coulée de sang bleu, porteuse de vie.

— J'ai quitté Baie-Éternité ce matin, ai-je dit à ma mère plus tard dans la journée.

C'était avant de lui apprendre la mauvaise nouvelle.

— Je ne rentrerai pas tout de suite. Je vais bien, ajoutai-je pour la rassurer.

Elle s'était informée pour Justine. Comment ça c'était passé. Je lui avais dit la vérité : j'ai eu mal, j'ai eu peur. Je n'ai pas tout compris. Mais je crois qu'elle est plus heureuse où elle est, sous l'eau.

— Elle s'amuse à souffler des bulles, ai-je ajouté pour dédramatiser la situation.

Après, j'ai appelé le vieux.

— Vous reviendrez lorsque vous serez devenu Jedi, a-t-il déclaré d'un ton confiant.

— Jedi ?

— Lorsque vous aurez maîtrisé la force en vous, *jeune homme…*

Bienvenue... Au revoir... J'ai traversé quelques villages sans m'arrêter. Arrivé à Baie-Sainte-Catherine, j'ai remarqué avec inquiétude un pictogramme symbolisant un traversier. Un saut de puce, je me suis dit en regardant la rive, en face. Un bac était à quai et des voitures s'y engouffraient déjà. « Jonas dans la baleine, bo boum, bo boum », j'ai fredonné en suivant les directives du gars qui me faisait des grands signes aériens en m'invitant à me garer à droite, tout contre la paroi d'acier. J'ai mis mon éléphant dans ma poche avant de sortir me promener sur le pont.

Un panneau indiquait que le navire pouvait accueillir 367 passagers et 75 véhicules. Mes anciens réflexes d'administrateur, et d'hydrophobe en processus de désensibilisation, m'ont amené à calculer une moyenne de cinquante kilogrammes par passager et de mille trois cents kilogrammes par voiture, sans compter les poids lourds, pour un grand total dépassant les cent quinze mille kilogrammes, soit plus de deux cent cinquante mille livres de graisse et de ferraille flottant sur un filet d'eau, au-dessus d'un gouffre de cent cinquante mètres de profondeur.

On n'a jamais retrouvé le corps de Justine. Appuyé à la rambarde du traversier, il m'était ainsi facile de l'imaginer descendant le fleuve en nageant avec la même grâce que lorsqu'elle marchait. Je me disais qu'elle avait suivi le cours du fjord et qu'elle allait plonger dans le fleuve. Elle prendrait ensuite la route des baleines pour finalement rejoindre la mer. « Elle s'en va prendre le large », ai-je pensé.

— Je voudrais prendre le large...

C'est ce qu'elle disait lorsqu'elle sentait ses voix revenir. C'est peut-être ce qu'elle voulait quand je l'ai vue la première fois, triturant sa mèche de cheveux en fixant la rivière qui coulait devant l'auberge, et c'est ce qu'elle avait probablement souhaité le jour de sa disparition. Le temps de savourer cette image irréelle de Justine me rejoignant au confluent du fjord et du fleuve, le traversier avait accosté.

— Je voudrais une chambre avec vue sur le fleuve...

J'étais rendu à Mingan lorsque j'ai décidé de couper le moteur de ma voiture. J'avais repéré un motel à l'écart de la circulation, mais surtout du bon côté de la route. La chambre ressemblait à un jardin par un beau jour d'été. Les murs étaient peints en jaune, sauf celui du fond qui était recouvert d'une tapisserie à fleurs. Il y avait un bouquet de marguerites en plastique sur le bureau et des reproductions de boutons de roses jaunes sur les murs. C'était kitsch mais joyeux.

Cette nuit-là, j'ai dormi d'un sommeil profond. Lorsque je me suis réveillé le lendemain matin, j'ai eu l'impression de revenir de loin, de creux. Le soleil qui éclairait le jardin mural m'a suggéré qu'il était plus près de huit heures que de sept heures. J'ai aussitôt pensé au réveille-matin de Justine, il avait retenti dans le vide pour la deuxième fois depuis un peu plus d'un an. Quand je me suis retourné en cherchant des yeux le réveil de la chambre, j'ai sursauté : il était onze heures six. J'ai d'abord cru que c'était une erreur, que l'appareil fonctionnait mal ou que quelqu'un l'avait déréglé. J'ai vérifié sur l'écran de mon cellulaire. Une autre minute était tombée. Il était maintenant onze heures sept. J'avais dormi plus de douze heures. Je me suis esclaffé avant de réaliser que j'avais déjà sept minutes de retard sur l'heure où la chambre devait être libérée.

J'ai repris la route au moment où le soleil atteignait son zénith. Le temps était magnifique. L'eau du fleuve scintillait de mille feux, on aurait dit une fiancée dans sa robe de paillettes un soir de bal. Ce jour-là, je n'ai rien fait d'autre que rouler. La tête vide, j'avançais. Sans but, sans projet, sans plan. Avec l'impression d'accompagner ma belle jusqu'à sa dernière demeure. Lorsqu'une courbe me surprenait, je ralentissais pour ne pas la perdre de vue. « Allez ma belle, on tourne », je l'invitais dans ma tête.

Je suis arrivé dans le village de Natashquan en fin de journée. Une vieille église, quelques dizaines de maisons, une épicerie, un dépanneur, une banque, du roc et la mer. Un bref regard sur la carte routière m'a confirmé que j'étais rendu presque au bout de la 138. Encore une vingtaine de kilomètres quasi désertiques, et puis plus rien. J'ai cherché une chambre pour la nuit. Allongé sur mon lit, j'ai sorti le livre de Justine.

La mère morte était le titre. Un jeu de mots pour parler de sa mère décédée tout en évoquant la mer Morte. Une mer dans laquelle aucune vie ne serait possible, dit-on. Sur la couverture se dessinait le profil d'une femme qu'on devinait délicate et fragile. Je reconnaissais la photo, c'était celle que Justine utilisait pour créer ses mosaïques.

Cette femme était peut-être celle que Justine serait devenue si elle avait continué de vivre. L'ombre d'elle-même, ou de sa mère. Ces deux femmes étaient une seule et même personne. La vie de l'une avait coulé dans les veines de l'autre, lui transmettant le meilleur comme le pire. Deux existences inexorablement entremêlées jusque dans la mort.

La notice à l'endos précisait que le livre avait été publié à titre posthume par Émilie. Elle avait retravaillé le texte avec l'éditeur pour mener à bien le projet de Justine. Émilie s'engageait à verser tous les droits d'auteur à la Fondation des maladies mentales. C'était elle que j'avais entendue à la radio, le matin des œufs cassés sur le plancher. Je savais bien que c'était elle. Que Justine était morte. Justine ne pouvait pas contrôler les voix dans sa tête mais moi, je le savais bien quand je me racontais des histoires.

Dans *La mère morte*, Justine évoquait son enfance. Elle parlait de sa mère schizophrène, de son père absent, de sa sœur qui veillait au grain. Elle racontait le suicide de sa mère survenu quelques heures après une violente dispute entre elles, son sentiment de culpabilité, ses premières hallucinations. Elle exprimait son espoir de s'en sortir, relatait ses rechutes. Et en filigrane, la mort, toujours présente comme une basse qui rythme une mélodie. Elle parlait aussi de nous deux, surtout de moi, de mon amour démesuré pour elle. Un sentiment qui la déstabilisait comme un chapeau au bord trop large, écrivait-elle joliment.

Certains passages m'avaient ramené à nous, à son appartement, aux moments passés ensemble, aux fois où elle me demandait mon avis ou me lisait quelques pages. J'avais l'impression de l'entendre. Rire, pleurer, douter. À une certaine époque, j'avais cru que l'écriture aurait eu un effet apaisant sur elle. J'espérais naïvement que son livre allait la guérir. Que tous ces mots qu'elle extrayait du fin fond d'elle-même pour les cracher comme un épais mucus la libèreraient de ses fantômes. Encore aujourd'hui, je me disais que si elle avait attendu un peu, elle aurait peut-être ressenti les effets bénéfiques de son écriture.

Cent soixante pages, une moyenne de dix mots par ligne et de trente lignes par page, soit près de quarante-huit mille mots. Justine avait réussi son pari. Son livre vivrait au milieu d'autres ouvrages sur les tablettes de bibliothèques. J'espérais que les propriétaires prendraient le même soin attentif à lui trouver une place de choix qu'elle-même l'avait fait pour les auteurs qu'elle avait accueillis chez elle. J'aurais rasé une forêt en entier pour lui assurer en environnement inspirant. Avant d'éteindre la lumière, j'ai glissé le livre sous mon oreiller.

Je me suis réveillé tard le lendemain matin, assommé par les mots. Je n'avais pas la force de repartir. J'ai réservé la chambre pour une deuxième nuit. Le surlendemain, je n'avais plus envie de m'en aller. Ni le jour suivant, d'ailleurs. À la fin de la semaine, j'ai compris que je ne rentrerais pas à Montréal, pas tout de suite en tout cas.

— Je ne sais pas quand je vais revenir, j'ai annoncé à ma mère, puis au vieux.

Ma mère m'a proposé de venir passer quelques jours avec moi, si je le souhaitais. Je préférais rester seul. Elle m'enverrait de l'argent. J'ai accepté. Le vieux a conclu que je n'étais pas encore devenu Jedi, il m'a invité à prendre mon temps.

Une fois ma décision prise, j'ai cherché un endroit où je pourrais passer quelques jours en me sentant chez moi. J'ai trouvé un minuscule chalet face au fleuve. Je suis allé acheter du papier et des crayons, et j'ai commencé à écrire. J'avais envie d'écrire à Justine, de faire écho à son livre comme on donne suite à une lettre. Assis à la fenêtre, épiant la mer, j'ai tenté de lui expliquer ce dont était fait cet amour au rebord trop large.

Je lui ai parlé de la première fois où je l'avais aperçue à l'auberge ; de notre amour qui s'était épanoui entre les livres éparpillés ; des moments où je l'avais perdue pour lui permettre de se retrouver dans l'écriture ; de son découragement face à la maladie qui gagnait du terrain ; de notre impuissance, à Pablo et à moi ; de sa colère devant son incapacité de vivre normalement ; de la souffrance qui l'habitait ; de la peine qui me rongeait ; de nos silences devant l'inexplicable ; de son départ précipité et de cette année passée seul à tenter de lui survivre.

Je lui ai parlé des histoires que le vieux me racontait, des histoires que j'avais aimées parce qu'elles me transportaient dans un monde où elle n'avait jamais existé, donc qu'elle ne pouvait avoir quitté. Je lui ai avoué avoir flirté avec la folie en m'enfonçant à mon tour dans un univers que j'avais bâti sur mesure pour elle en inventant une histoire où elle était toujours vivante, ce qui me permettait d'espérer qu'un jour elle reviendrait vers moi.

Avant tout, je lui ai demandé pardon. Pardon de l'avoir gardée en vie malgré elle. De l'avoir jetée dans les bras et dans le lit d'un obscur éditeur issu de mon imagination. De l'avoir accusée à tort d'abandon et de tricherie. De lui avoir inventé une vie heureuse en m'octroyant le rôle de la victime. Je lui en avais terriblement voulu d'avoir préféré les eaux glacées du fjord à la chaleur de mon étreinte. De m'avoir offert en héritage le poids écrasant du doute et de la culpabilité. En fait, c'était à moi que j'en voulais. Je n'avais pas su la retenir.

Je lui ai également avoué que secrètement, alors qu'elle se débattait avec ses mots, enivrée par la passion d'écrire, moi aussi j'avais connu la passion. Moi aussi, j'avais éprouvé ce sentiment violent, puissant, qui nous habite complètement, au point de dominer la raison. J'avais souffert, déchiré par le trouble et les tourments, mais surtout par un véritable amour qui m'avait porté pendant ces années et qui m'avait procuré un bonheur intense.

J'ai eu envie de lui parler de Marie, aussi, de notre rencontre, de cette assiette vide posée sur la table. J'avais compris, à travers ce rituel amérindien, que les morts restent vivants tant et aussi longtemps qu'on leur fait une place dans nos vies. À partir de là, j'ai eu moins peur de penser à elle morte. J'avais trouvé un espace où je pourrais toujours la retrouver.

À la fin, mon texte faisait cent vingt-quatre pages et comptait tout près de trente-cinq mille mots. Je suis allé acheter une grande enveloppe et j'y ai glissé les feuilles, puis j'ai écrit *Lettre à Justine* dessus.

J'ai repris la route par un matin de novembre. Les glaces allaient bientôt commencer à se former. Je devais libérer ma belle, lui laisser prendre le large avant qu'il ne soit trop tard. Je crois aussi que Justine souhaitait me voir recouvrer ma liberté. Et puis, ma mère me manquait. J'avais envie de l'enlacer et d'être enlacé par elle. J'avais hâte de retrouver le vieux, ses histoires et l'odeur des épices. Maxime m'avait accompagné de loin au cours des dernières semaines; le moment était venu de tout lui raconter, en tête-à-tête. J'avais même reçu des nouvelles de Marie. Elle était passée acheter des épices, « mais surtout pour s'enquérir de vous, *jeune homme* », s'était amusé à me préciser monsieur Suna.

Demain je serais de retour sur mon île. Je n'étais pas devenu tout à fait Jedi, mais je savais maintenant que Justine disait vrai lorsqu'elle affirmait que l'eau est source de vie.

Remerciements

Je tiens à exprimer ma profonde gratitude aux personnes suivantes pour l'aide qu'elles m'ont apportée : Marlène Reid, une lectrice passionnée; Normand Beaudet, agent d'information à l'Institut Philippe-Pinel de Montréal; le Dr Jacques Talbot, psychiatre; Arik De Vienne, fils de chasseurs d'épices et propriétaire de la boutique *La Dépense*; Sophie Birri et Jean-Sébastien Chouinard, aficionados du Québec et de Baie-Éternité; le personnel de la SÉPAQ du secteur de Baie-Éternité; Marie-Andrée Laplante, Présidente fondatrice de Phobies-Zéro; Sylvain Rouillard, professeur en psychologie de la créativité à l'UQAM; Roger Bérubé et Denis Blacksmith qui m'ont renseignée sur les rituels amérindiens. Des remerciements particuliers à l'équipe élargie d'Art Global. Plus particulièrement à Christine Rebours, coordonnatrice, à Bernard Paré, réviseur, et à Alejandro Natan, graphiste. Des professionnels aguerris et fort sympathiques.

Ma famille et mes amis méritent toute ma tendresse et ma reconnaissance pour leur soutien et leurs encouragements sincères.

Kudos à mon fils Maxime pour qui, ultimement, j'écris.

Je suis infiniment redevable à mon éditrice et amie Mireille Kermoyan dont le jugement et les conseils éclairés contribuent à affûter ma plume.